» IL CAM

VOLUM

RESTART METABOLICO

31 GIORNI PER RITROVARE LA FORMA E TORNARE IN SALUTE

di

DANILO DE MARI

LONGANESI

Gruppo editoriale Mauri Spagnol

www.longanesi.it

ISBN 978-88-304-5685-3

I edizione aprile 2021
II edizione aprile 2021
III edizione aprile 2021
IV edizione maggio 2021
V edizione maggio 2021

Progetto grafico e impaginazione
Bebung

INTRODUZIONE

Mens sana in corpore sano

Sono un farmacista da oltre dieci anni e nel corso della mia pratica professionale ho incontrato molte persone afflitte da un'ampia gamma di problemi, diversi ma per la maggior parte relativi al grande campo dell'alimentazione: cattiva digestione, sovrappeso, infiammazione, intolleranze. Mangiare è – o dovrebbe essere – una delle azioni più «naturali» e istintive per gli esseri umani: alimentare il nostro corpo per trarre dal cibo l'energia necessaria a svolgere le funzioni vitali e tutte le attività di cui la nostra vita si compone. Eppure l'alimentazione sembra racchiudere in sé una sfida delle più impegnative, trasformandosi spesso in un gesto che prelude a una serie di «catastrofici eventi». Mangiamo troppo, mangiamo male, mangiamo di corsa, mangiamo nei momenti e nei modi sbagliati, e paghiamo un conto salato per le nostre scelte scorrette. Lavorando con le persone mi sono reso conto che, spesso, un approccio meramente allopatico non riusciva a dare soluzione a problemi che si erano cronicizzati e che erano diventati per loro un peso ingestibile. Ho iniziato allora ad allargare il mio campo di interesse ai cosiddetti «approcci naturali»: fitoterapia, integrazione alimentare e attività sportiva mi consentivano di proporre ai miei clienti una visione più integrata del concetto di salute, offrendomi strumenti efficaci con cui aiutarli a ritrovare il proprio equilibrio fisico ed emotivo. Ho elaborato negli anni un «metodo» originale, che calibro di volta in volta sulla storia personale di ciascuno, perché siamo tutti diversi e non può esistere un «sistema unico» valido per tutti allo stesso modo.

Nel frattempo ho visto nascere e cadere mode alimentari, come tessere di un domino. Su uno stesso argomento ho letto teorie opposte, fondate su «evidenze scientifiche» che provavano tutto e il contrario di tutto. Ho toccato con mano lo stato di confusione generale che serpeggia spesso perfino tra gli addetti ai lavori, figuriamoci tra la gente comune.
È per questo che ho sentito la necessità di dare una formulazione chiara, sistematica e inequivocabile al metodo di intervento che applico da anni in ambito alimentare con crescente soddisfazione e che si basa sul concetto di «Restart metabolico».
Quando un meccanismo si inceppa, il modo migliore per farlo ripartire è riavviarlo: ce lo insegna l'esperienza di tutti i giorni, quando abbiamo a che fare con un sistema complesso, che sia un computer o un carburatore ingolfato. Lo stesso vale per il nostro corpo, il più complesso dei sistemi. Nella maggior parte dei casi quando ci accorgiamo di essere «inceppati», di aver messo su peso e di sentirci fuori forma, ci affidiamo a diete fai da te, regimi ipocalorici, talvolta perfino a digiuni che, con grande sacrificio, porteranno risultati iniziali incoraggianti. Ma nel 99 per cento dei casi queste «operazioni dimagrimento a ogni costo» sono destinate a fallire: dimagriremo forse di qualche chilo, ma non appena interromperemo il regime stretto – ed è inevitabile interromperlo, perché nessuno può digiunare per sempre, o vivere in eterno con un regime di calorie insufficiente – torneremo in fretta a riprendere tutto il peso perso con gli interessi, trovandoci intrappolati nella classica situazione «a fisarmonica».
La frase tipica di chi ha attraversato questo ciclo è: le ho provate tutte, sono condannato a essere grasso e stare male per sempre.
La buona notizia è: non è affatto vero. Nelle prossime pagi-

ne vi spiegherò come, attraverso le giuste scelte alimentari, con l'ausilio di un programma di attività fisica moderata ma costante e con il ricorso a semplici tecniche di gestione delle emozioni, sia possibile, nell'arco di un mese, riequilibrare lo stato di infiammazione e stress da cui dipende il nostro – apparentemente irrisolvibile – appesantimento fisico. È il metodo del Restart metabolico che, attraverso una sequenza di tre fasi successive, prima depurerà il nostro intestino dalle tossine, quindi nutrirà, idraterà e riavvierà il metabolismo rallentato e infine ci risveglierà del tutto, regalandoci un'energia che non provavamo da tempo mentre perdiamo peso con gradualità e senza traumi.

La forza di questo metodo sta nel suo approccio completo, olistico, alla persona e alla sua salute. Noi non siamo solo corpo, ma siamo corpo e mente, uniti in un abbraccio impossibile da sciogliere. Per incidere sul corpo dobbiamo passare dalla mente e dalle emozioni. Non a caso, quando prendiamo una decisione impulsiva, si dice che abbiamo «agito di pancia»: l'apparato digerente è un secondo cervello ed è molto forte l'effetto che i sentimenti e le emozioni esercitano sul suo funzionamento. D'altra parte è vero anche viceversa: per ritrovare la stabilità psicologica ed emotiva è essenziale riequilibrare anche il corpo. Sfido chiunque a sentirsi sereno e ottimista con il mal di pancia!

Nell'ultimo capitolo del libro troverete infine una piccola sorpresa: grazie a un semplice questionario, vi guiderò nella definizione di un protocollo fitoterapico personalizzato che, se vorrete, potrete applicare per tutta la durata del percorso di Restart. È il meglio che la natura ha da offrirci, al servizio del viaggio che stiamo per intraprendere, alla riscoperta del nostro equilibrio e benessere.

CAPITOLO 1

Il punto di partenza

«Come stai?»
Quando incontriamo qualcuno che non vedevamo da tempo – tanto più in questo periodo, dopo mesi di pandemia, quarantene, tensioni di ogni tipo –, di solito la prima domanda che ci si rivolge è immancabilmente questa. E quasi sempre si tende a dare una non-risposta: «Bene!», ma poi si cerca subito dopo di spostare l'attenzione verso argomenti che non includano la propria forma fisica.

La verità è che quella domanda ci porta a fare un rapido check mentale del nostro stato di salute, innescando una girandola di pensieri che adesso non riusciamo più a fermare: negli ultimi mesi, senza neanche accorgercene, abbiamo preso due taglie. Pur mangiando nella stessa maniera di sempre non entriamo più nei nostri vestiti preferiti e guardandoci meglio allo specchio salta agli occhi che la nostra forma è *cambiata*: il giro vita si è appesantito, le cosce non sono toniche, e cos'è quella piega sotto il mento?
A questo punto, faccia a faccia con il nostro riflesso nello specchio, capiamo che oltre a non piacerci più abbiamo trascurato anche una serie di piccoli fastidi di cui, senza rendercene con-

to, mentre il fisico si appesantiva abbiamo iniziato a soffrire in modo cronico. La scelta è ampia: reflusso gastroesofageo, acidità di stomaco, meteorismo, stipsi, dissenteria, dolori addominali, difficoltà digestiva, stanchezza cronica, insonnia, crampi, dolori osteoarticolari, per non parlare dei disordini metabolici, glicemia alta, insulino-resistenza, ipertensione, tachicardia, colesterolo alto, fame nervosa di dolci. Questi sono solo alcuni dei problemi più frequenti che in una condizione di sovrappeso potremmo trovarci ad affrontare.
Allora che fare?
A questo punto si può scegliere di nascondere la testa sotto la sabbia come gli struzzi e tornare a far finta di niente, oppure prendere realmente in mano la nostra vita e dare una sterzata decisiva. Se è questo che volete, state leggendo il libro giusto perché quello che vi proporrò è un cambio di vita.

Diete fallimentari vs. il metodo del Restart metabolico

La maggior parte degli approcci dietetici si basano sul conteggio delle calorie. Ipotizzando che il nostro dispendio energetico sia di 2000 calorie al giorno, basterà introdurre il 30 per cento in meno delle calorie per perdere peso, ma in realtà questo è vero solo all'inizio. Dopo i primi tempi infatti il nostro organismo, che è una macchina perfetta con grande capacità di adattamento, entrerà in una sorta di modalità di riserva energetica. Risultato? Subentrerà la pigrizia, il metabolismo rallenterà e tenderemo nuovamente a prendere peso.
C'è un altro e ancora più sostanziale motivo per cui l'approccio basato sul conteggio delle calorie si rivela fallimentare. Que-

sto metodo considera l'organismo umano alla stregua di una macchina che invece di andare a benzina va ad alimenti, ma si tratta di una metafora altamente imperfetta. Quando infatti in una macchina introduciamo benzina in eccesso rispetto ai consumi reali, la quota eccedente di combustibile rimarrà nel serbatoio in attesa del successivo utilizzo, mentre gli alimenti in eccesso che introduciamo dentro di noi subiscono una sorte ben diversa, divenendo parte integrante del nostro corpo.
La maggioranza delle diete sbandierate sulle riviste o sui social tendono a essere povere di carboidrati, ricche di latticini e ricchissime di proteine, ritenute «magre». In realtà questo tipo di regime alimentare ci incoraggia ad alimentarci con cibi pro-infiammatori, che provocano l'infiammazione della mucosa intestinale, disbiosi (ovvero uno stato di alterazione della flora batterica), mancata digestione con conseguente accumulo di tossine. Il grosso problema delle tossine è che, come vedremo più in dettaglio nei prossimi capitoli, sono acide e richiamano magnesio, calcio e acqua dalle cellule verso il sistema linfatico e interstiziale, determinando un blocco del metabolismo e favorendo l'incremento della massa grassa costituita di grasso e acqua (ritenzione idrica) e la riduzione della massa magra costituita da muscoli, ossa e tendini. Come se non bastasse queste errate abitudini determinano una alterazione della biochimica dell'organismo.
Facciamo degli esempi: l'infiammazione che questi cibi sostengono deve essere contrastata dai meccanismi naturali di protezione del nostro corpo. Le ghiandole surrenali dovranno allora produrre cortisolo, che è il nostro antinfiammatorio endogeno più potente. L'aumento di cortisolo a sua volta determinerà una riduzione della serotonina, essenziale – tra le altre cose – per regolare il nostro ciclo di veglia e sonno. Non solo.

Il crescente aumento di cortisolo invierà anche un messaggio di rallentamento alla tiroide, e questa è la ragione per cui l'incidenza di patologie tiroidee risulta oggi in forte aumento perfino tra i più giovani, e il metabolismo è rallentato.
I cibi pro-infiammatori tendono inoltre a sovrastimolare il pancreas e inducono una iperproduzione di insulina. Quando questo ormone è troppo alto si determina la nascita di nuove cellule adipose e così, pian piano, si passa da un lieve sovrappeso a livelli di obesità sempre più severi. E c'è di più. Ogni sole ha la sua luna e, se l'insulina è il sole, il glucagone (che è un ormone iperglicemizzante, ne parleremo in modo più approfondito alla fine del prossimo capitolo) è la luna. L'insulina agisce dandoci la possibilità di accumulare grasso mentre il glucagone consente all'organismo di bruciare le riserve energetiche lipidiche, ovvero ci aiuta a smaltire il grasso, in eccesso. Ma il sole sorge al tramontare della luna e viceversa, per cui fino a quando il valore dell'insulina sarà mantenuto alto dall'ingestione di cibi pro-infiammatori, non avremo mai la possibilità di convertire i nostri cuscinetti in energia.

Il quadro che ho appena delineato riporta abbastanza fedelmente le condizioni più comuni che mi capita di osservare durante il mio lavoro di farmacista. Il metodo del Restart metabolico nasce proprio per contrastare questo stato di malessere e infiammazione cronica. Il principio su cui si basa è semplice: la salute è un equilibrio tra biochimica, struttura e psiche. Un soggetto sano è un soggetto in cui queste tre componenti sono in armonia tra loro, e quell'armonia si tradurrà naturalmente in un mantenimento dello stato di salute e della forma fisica ottimale.
Per raggiungere questo genere di equilibrio non esistono scor-

ciatoie, niente pillole magiche o integratori. Non troverete disponibile sul mercato la linea di barrette energetiche del Dott. De Mari, oppure il sedativo per placare l'attacco d'ansia. Occorre prepararsi a un cambio di stile di vita in cui saranno fondamentali le scelte alimentari, l'esercizio fisico regolare e la corretta gestione delle emozioni. La via di guarigione, di recupero della propria forma fisica e del proprio equilibrio emotivo passa dal riscoprire ciò che è realmente fondamentale per l'essere umano.

I tre pilastri del Restart metabolico

Il metodo del Restart metabolico prevede diverse fasi di disintossicazione graduale dell'organismo. Disintossicazione da cosa?

Negli ultimi cinquant'anni, sotto la pressione dei mutamenti nello stile di vita e di una generale accelerazione dei nostri ritmi, abbiamo trasformato completamente il nostro modo di mangiare, incoraggiati dall'industria alimentare a consumare grandi quantità di cibi raffinati e già confezionati. Abbiamo sostituito la torta fatta in casa, che appena due giorni dopo essere stata sfornata si trasforma in una graziosa incudine, con merendine già porzionate, le quali restano inspiegabilmente morbide e fraganti per mesi. Abbiamo sostituito le zuppe cotte a fuoco lento con buste di surgelati da far rinvenire in dieci minuti nella padella antiaderente. Se da una parte la disponibilità di cibi pronti ci ha offerto un enorme aiuto logistico nella vita di tutti i giorni, qual è stato il prezzo che abbiamo dovuto pagare?

Il prezzo è stato il depauperamento nutritivo del cibo. Ci nutriamo con alimenti altamente processati che, sebbene im-

mediatamente disponibili e gustosi, sono stati però completamente denaturati nella loro capacità di fornire al corpo il giusto nutrimento e, al contrario, pongono le basi per innescare processi infiammatori che pian piano coinvolgono tutti gli organi vitali, determinando l'instaurarsi di malattie croniche e sovrappeso.
Prima di intervenire in qualunque modo su un fisico assuefatto a questo genere di alimentazione occorre per prima cosa *ripulire* il pasticcio, depurando gli organi emuntori e l'organismo dalle tossine accumulate negli anni. Questa è la prima fase del Restart metabolico e coincide con un aumento graduale delle energie e la riduzione delle sintomatologie più comuni. A questo punto siamo pronti per impostare un nuovo regime alimentare, questa volta *corretto*, realmente antinfiammatorio, in grado di nutrire e far funzionare al meglio il nostro organismo.
In realtà non ho inventato nulla di particolarmente originale, mi sono limitato a studiare la storia e a trarne un insegnamento essenziale: mangiare troppo fa male. Pensate alla gotta, per esempio, la malattia dei nobili, dei papi e dei re (ne soffriva anche Carlo Magno): solo i ricchi (che potevano consumare grandi quantità di carni rosse) se ne ammalavano. Oggi per fortuna il divario tra ricchi e poveri si è ridotto (almeno rispetto ai tempi di Carlo Magno) e tutti abbiamo facile accesso al cibo. Troppo cibo di bassa qualità. Occorre fare tabula rasa, liberandoci dalle trappole moderne del conto calorico o dell'abitudine di pesare ciascun alimento come fossimo dall'orefice, e tornare ai principi che regolavano tradizionalmente il nostro modo di mangiare: ci si alimenta rispettando il ciclo delle stagioni e dando la preferenza a frutta e verdura crude, cereali integrali, legumi, semi oleaginosi, pesce e uova.
Nel corso di questo libro vi spiegherò le ragioni di queste scelte,

approfondendo la chimica degli alimenti e l'interazione dei cibi nelle varie associazioni. Adesso mi preme invece completare questa prima presentazione generale del metodo introducendone gli altri due pilastri: il movimento e la gestione dello stress.
La sedentarietà non è un tratto «costitutivo» dell'essere umano, tutt'altro: siamo nati per stare all'aperto, in contatto con la natura e in costante movimento. Il progresso sociale e tecnologico poco alla volta ci ha cambiati, ma non *così tanto* da renderci in grado di sopportare senza conseguenze la prigionia delle nostre abitazioni e dei nostri uffici. Divano, computer, televisione, consolle da gioco e chi più ne ha più ne metta: passiamo gran parte del nostro tempo seduti da qualche parte, al chiuso. Per non parlare poi di quel che è successo nel corso del 2020! Che genere di equilibrio psico-emotivo speriamo di avere?
Infatti siamo tutti stressati, adulti e bambini, uomini e donne, giovani e anziani. La necessità di recitare troppi ruoli durante la giornata e l'aspettativa sociale ci allontanano dalla possibilità di entrare in contatto con il vero Sé; il bisogno di essere sempre performanti ci fa vivere con paura i cambiamenti fisiologici e naturali del nostro corpo. Come conseguenza stiamo assistendo a un'impennata nell'incidenza dei disturbi di matrice depressiva e ansiosa.
Non ho certo la presunzione di proporre, con il mio metodo, una panacea capace di risolvere ogni tipo di problema, dal sovrappeso al malessere psicologico, ma alcune semplici tecniche di respirazione, che sono parte integrante del Restart metabolico e che illustrerò in dettaglio nei prossimi capitoli, agiscono in modo mirato su quest'ultimo aspetto e possono costituire l'inizio di un percorso volto a riscoprire quell'equilibrio che sembrava perduto.

Cos'è più importante per ripristinare più velocemente la salute e la forma fisica: lavorare sull'alimentazione, sulle emozioni o sul movimento?
L'uomo non è la semplice somma delle proprie parti ma un sistema complesso: migliorando la qualità del nostro movimento migliorerà anche il nostro umore, grazie alla produzione delle endorfine. Se siamo sereni saremo più bendisposti all'idea di impiegare tempo ed energie nella preparazione di piatti sani e bilanciati e ci alimenteremo meglio. Un'alimentazione migliore determinerà un cambiamento nel microbiota intestinale, che agirà direttamente sui livelli di serotonina endogena, anche nota come «ormone del buon umore». E il gioco è fatto. Ma questo è solo un esempio dei molti circoli virtuosi possibili. Applicando il metodo del Restart metabolico, in un mese faremo compiere al nostro metabolismo un vero reset: il suo meccanismo «inceppato» riprenderà a funzionare regolarmente e l'organismo tornerà gradualmente verso una situazione di normopeso.
La domanda che mi viene rivolta più spesso, a questo punto, è: basta davvero solo un mese? Sì, in un mese l'organismo viene disintossicato e il metabolismo si resetta e si riattiva. Poi tutto sta alla singola persona: seguire il metodo significa *cambiare il proprio stile di vita* e non tornare più al precedente. Il libro fornirà indicazioni precise in tal senso, spiegando giorno per giorno cosa mangiare e quando, come iniziare a svolgere una regolare attività fisica, quali tecniche utilizzare per ritrovare e conservare l'equilibrio emotivo. Chi è in forte sovrappeso, naturalmente, non riuscirà a perdere tutti i chili di troppo nel primo mese, ma si avvierà nella giusta direzione e, perseverando, otterrà i risultati sperati senza dover fare mai più un solo giorno di dieta, intesa come regime di restrizione calorica.

I benefici del metodo

Prima di imbarcarsi in un percorso che vi terrà impegnati per un mese della vostra vita, alcuni di voi potrebbero chiedersi scettici se ne varrà la pena. Ecco allora un rapido specchietto che riassume i principali benefici di cui godrete sin dai primi giorni del Restart metabolico:

1 › Si riduce l'infiammazione, escludendo o riducendo tutti gli alimenti pro-infiammatori e tutte le associazioni sbagliate di alimenti. La riduzione dell'infiammazione fa dimagrire e rende più giovani. Come? Vediamo qualche esempio.
Prendiamo lo zucchero, il nemico numero uno. L'azione dello zucchero sulle cellule, attraverso i legami di glicazione, è alla base di tutti i processi di invecchiamento e di degenerazione cellulare: più dolci raffinati mangi e più velocemente la tua pelle invecchia. Lo zucchero, inoltre, è una delle principali fonti di quelle che io chiamo «calorie vuote», che inducono accumulo di grasso senza nutrire il corpo. Non è infrequente infatti il caso di soggetti in forte sovrappeso che presentano tuttavia gravissime carenze di magnesio, ferro e di altre sostanze. Come morire di fame da obesi.
Escludendo o limitando lo zucchero, ridurremo una delle principali cause dell'infiammazione cronica del nostro organismo.
C'è poi il caso di altri cibi, peraltro considerati favorevoli al dimagrimento, che se assunti in una quantità eccessiva o con errate associazioni possono determinare al contrario l'aumento dell'infiammazione e il sovrappeso. Per esempio la carne. Nelle diete iperproteiche viene proposta l'associazione di carne e verdure come utile a favorire un repentino calo ponderale. Questo è vero, ma solo in un periodo iniziale. Il problema è du-

plice: da una parte il regime iperproteico abitua l'organismo a «fare a meno» dei carboidrati e a trovare soluzioni energetiche alternative, le quali producono però scorie metaboliche che si accumulano e rallentano il metabolismo. Dall'altra questo accumulo di tossine si ripercuote sul centro ipotalamico che controlla il senso di fame o sazietà, mandandolo in tilt. Risultato: nel momento in cui la dieta termina e si torna a introdurre altre classi di alimenti (d'altra parte nessuno può vivere *per sempre* di sola carne e verdure), ci si ritrova con il metabolismo a mezzo servizio e una fame da lupi, e si rischia di rimettere tutti i chili persi, con in più un cospicuo «sovrapprezzo».

2 ❯ Si riducono gli effetti dello stress, che fa ingrassare e gonfiare la pancia.
Com'è possibile che un'emozione ci faccia ingrassare? L'emozione è immateriale, non ha consistenza o calorie, ma può agire direttamente sulle nostre ghiandole endocrine. Da molto tempo gli studiosi tentano di individuare il legame tra emozioni e malattia. A partire dagli anni Trenta del Ventesimo secolo è venuta definendosi una nuova disciplina, la Psico Neuro Endocrino Immunologia (PNEI), in cui convergono, all'interno di un unico modello, le conoscenze acquisite da endocrinologia, immunologia e neuroscienze e che studia la relazione tra comportamento, risposta neuroendocrina agli stimoli dell'ambiente esterno o provenienti dallo stesso organismo, e attivazione del sistema immunitario.[1] La PNEI offre conferme, scientificamente sostenute, di quanto su base intuitiva forse già sapevamo: lo stress a lungo andare nuoce gravemente alla

1 *Per approfondimenti si rimanda al sito della Società Italiana di Psico Neuro Endocrino Immunologia: https://sipnei.it/*

nostra salute. Se mi trovo in una condizione di forte stress in ambito lavorativo, per esempio se il mio ufficio sembra più un campo di battaglia che un tranquillo e armonico luogo di lavoro, l'attivazione dell'assetto da guerriero stimolerà una iperproduzione di cortisolo. Questo ormone mi darà l'energia e l'aggressività necessarie per affrontare con coraggio l'ipotetica battaglia. Ma c'è un prezzo da pagare: il cortisolo determina per esempio un accumulo di grasso nella fascia addominale. Non sono state solo le merendine a regalarti quella pancia dalla classica forma a mela, ma anche lo stress cronico.

3 › Si riduce l'insulino-resistenza. Oltre alla scelta di alimenti antinfiammatori, si presterà particolare attenzione a regolare le oscillazioni di insulina e glicemia nel sangue, in quanto responsabili del sovrappeso.

4 › Si segue un regime alimentare ricco di grassi sani, che fanno dimagrire e riducono l'infiammazione. In natura esistono diversi tipi di grassi. Semplificando al massimo: i grassi saturi, provenienti da fonti animali, «fanno male» e quelli insaturi, da fonti vegetali, «fanno bene». Questa affermazione così elementare non può più essere considerata completamente corretta ed esaustiva. L'industria alimentare è riuscita a sintetizzare grassi assai più pericolosi del burro. I grassi così detti trans (grassi vegetali idrogenati) hanno un potere distruttivo a livello cellulare incredibile, sostengono a tal punto l'infiammazione che l'incidenza delle malattie cardiovascolari ha subito lo stesso trend di crescita della loro diffusione sul mercato. Non è tutto. Sappiamo che questi grassi se ingeriti possono essere utilizzati dal nostro organismo come mattoni costitutivi a livello cellulare. Nell'anatomia cellulare ritroviamo i grassi a livello della membrana, che per l'appunto prende il nome di membrana fosfolipidica. Il nostro sistema immunitario non riconosce quelle cellule come appartenenti all'organismo e questo è uno dei meccanismi alla base delle patologie autoimmuni, come diabete di tipo 1, tiroiditi di Hashimoto eccetera.

5 〉 Si disintossicano le cellule. L'organismo umano è un sistema complesso costituito da un insieme di cellule differenziate. Il buon funzionamento di questa mirabile macchina è assicurato non solo dalla salute cellulare, ma anche dalla comunicazione tra una cellula e l'altra. Quando ci alimentiamo in maniera non corretta accumuliamo tossine nello spazio intra ed extracellulare e queste ostacolano sia lo svolgimento delle normali funzioni cellulari che i sistemi di network tra cellule.

6 〉 Si stimola il buon funzionamento degli organi emuntori come fegato, reni, intestino, polmoni, cute e sistema linfatico, i quali svolgono sia funzioni vitali che di pulizia del nostro organismo.

7 〉 Si eliminano i disturbi gastrointestinali. Attraverso una opportuna scelta di alimenti è possibile gestire e ridurre la maggior parte dei sintomi legati a reflusso, gastrite e meteorismo, stitichezza e dissenteria.

Iniziare è la parte più difficile

La persona sovrappeso è più forte della persona normopeso

Adesso che abbiamo più o meno fatto la conoscenza del meto-

do e ci sentiamo pronti per partire, arriva la parte complicata. Iniziare. Non si perde peso senza cambiare nulla del proprio stile di vita, e soprattutto non si dimagrisce senza sudare: il movimento infatti, lo abbiamo visto, è uno dei tre pilastri del reset metabolico. Dunque è bene ripeterlo subito: se davvero volete migliorare la vostra forma fisica e la vostra salute non potrete prescindere dal fare movimento, in modo sistematico e regolare. Ma dopo una fase iniziale che potrebbe risultare più faticosa, l'allenamento diventerà parte del vostro stile di vita e vi chiederete come avete potuto fare senza per così tanti anni. Questo perché, coadiuvato dal regime alimentare giusto, l'allenamento risulterà *facile*, e voi avrete tutta l'energia necessaria per affrontarlo con successo.
Che siate in una palestra, in una classe che si allena all'aperto o nel vostro salotto, quando inizierete un programma di allenamento e vi verrà chiesto di fare dieci piegamenti sulle braccia o sulle gambe, o di camminare a un ritmo più intenso del vostro abituale, vi sentirete di sicuro sopraffare dalla stanchezza e vi sembrerà un risultato impossibile da raggiungere. Probabilmente vi guarderete attorno, o osserverete il coach sullo schermo, e noterete con ammirazione e rassegnazione quel fisico impeccabile compiere movimenti per voi troppo complessi, e farlo apparentemente senza sforzo. Avrete voglia di mollare tutto, di non iniziare nemmeno, forse vi sentirete sopraffatti dal senso di vergogna per gli sguardi di chi vi circonda. È proprio in quel momento che dovrete tenere a mente questo semplice concetto: la persona in sovrappeso è più forte della persona normopeso.
Già so a cosa state pensando, perché ci sono passato anch'io: «Che sciocchezza!»
La prima volta che sono entrato in palestra ero un adolescente

oggettivamente in sovrappeso. Avevo il ventre così prominente che quando mi hanno chiesto di sdraiarmi pancia a terra quasi mi sembrava di rimbalzare. Ma mentre ero lì, smarrito nella mia paura di non farcela, sentii la voce di Luciano, il mio primo istruttore, che mi gridava: «Pancia a terra, attenzione a non rimbalzare!» Io, piccolo e preso da una grande vergogna, dopo il primo goffo piegamento sulle braccia stavo per alzarmi e andare via, e fu allora che Luciano mi ruggì addosso, con più forza di prima: «Tu sei più forte di chi ti sta accanto, perché sei più *grasso*!» Concordo: come cura d'urto fu un po' brutale. Eppure efficace. Vi sembra un concetto privo di senso? Anche a me, all'epoca, ma in seguito ho avuto modo di riflettere su quella frase, e oggi vi propongo la domanda che feci a me stesso: che cos'è il grasso?

Non è altro che un accumulo di cibo in eccesso, questa è la prima constatazione istintiva. Insomma sono stato ingordo, ho mangiato più del necessario e il mio corpo ha stivato tutto quel cibo sotto forma di grasso. Se questo fosse vero, per dimagrire sarebbe sufficiente seguire una dieta ipocalorica. Ma le cose sono più complesse di così: la verità è che per qualche motivo il mio metabolismo si è inceppato, non è più riuscito a convertire in energia tutti gli alimenti che introducevo. Il risultato è che probabilmente mangiavo anche meno di una persona magra, ma solo una piccola parte di ciò che introducevo veniva trasformata in energia, mentre il resto diventava grasso.

È successo a me, e adesso sta succedendo anche a voi. Il problema più grande è che, mentre il vostro corpo produce nuovo tessuto adiposo, le cellule continuano ad aver fame e voi vi ritrovate ad avere voglia o necessità di mangiare a brevi intervalli. Con grande senso di colpa.

Il grasso è energia potenziale che l'organismo non riesce più a

utilizzare, motivo per il quale dopo due minuti di camminata ci si sente stanchi, fare una rampa di scale sembra impossibile e figuriamoci poi iscriversi in palestra! Solo il pensiero di mettersi in mostra mentre si fallisce per l'ennesima volta ci provoca un rigurgito di stress.
Con il metodo del Restart metabolico il nostro organismo troverà le chiavi per accedere finalmente alle sue riserve energetiche di grasso. Così riuscirà a produrre energia, che sarà indispensabile per muoverci con leggerezza, tornare a sorridere con spensieratezza, e lasciare andare i pensieri ossessivi ricorrenti. Tenete a mente che altri ci sono riusciti prima di voi. Si può fare.

Conosci il tuo corpo in tre step

Non lo facciamo per somigliare a modelli irraggiungibili. Lo facciamo per noi stessi e per sentirci a nostro agio dentro il nostro corpo.

Quando si decide di intraprendere la strada di un grande cambiamento, la prima cosa da fare, prima ancora di partire, è preparare lo zaino con tutto ciò che ci servirà lungo il percorso. Fuor di metafora, quello che sto dicendo è che se avete deciso di cambiare radicalmente il vostro stile di vita e di applicare il metodo del Restart metabolico, il primo step che dovrete affrontare è quello di spogliarvi da vergogna, invidia, paura, rabbia, da tutti i residui dei fallimenti precedenti, e soprattutto dai preconcetti sulla vostra forma fisica. In questo nuovo percorso nessuno vi chiederà di mirare a uno stereotipo plastificato, a un'immagine fisica ideale di voi stessi. Non stiamo applicando il metodo per assomigliare a una ragazza copertina, o a uno di

quegli uomini tutti muscoli che si vedono nelle televendite di integratori in tv. Lo facciamo per noi stessi, per il nostro benessere e per sentirci a nostro agio dentro il nostro corpo.
Quasi dimenticavo, sarà necessario togliersi i vestiti, almeno in questa prima fase, per fare un punto della situazione. Vi chiederò di prendere alcune misure che saranno indispensabili per definire il punto di partenza e di arrivo di questo percorso. Abbiamo bisogno di:

- ***un foglio bianco,***
- ***una penna,***
- ***una bilancia,***
- ***un metro da sarta.***

Siete pronti? Allora iniziamo.

Primo step. Il peso

Stabilire il giusto rapporto con la bilancia è fondamentale per vivere fino in fondo questa nuova esperienza e ridurre lo stress e l'ansia da risultato.
Se ci si è lasciati andare per molto tempo, probabilmente già da un po' avremo nascosto la bilancia in qualche angolo buio della casa in modo da non averla costantemente sotto gli occhi. Questo è il momento di riportarla alla luce e posizionarla in un luogo «sicuro», dove non ci faccia sentire giudicati. Spesso il luogo ideale è il bagno.
Al contrario c'è anche chi vive un rapporto di totale dipendenza con la bilancia, ha bisogno di tenere sotto controllo il peso e finisce per pesarsi ogni giorno, più volte al giorno. Questo atteg-

giamento è sbagliato quanto lo è il suo opposto, non pesarsi mai: nell'arco della giornata infatti il peso oscilla di continuo e non ci si deve far influenzare negativamente da queste oscillazioni. Altro errore comune è usare tutte le bilance a disposizione, mettendone a confronto i risultati. Ad esempio sarebbe sbagliatissimo approfittare di una visita a casa di amici per pesarsi sulla loro bilancia. Gli apparecchi domestici, per quanto tecnologici e all'avanguardia, offriranno sempre misurazioni leggermente diverse da strumento a strumento. Risultato: magari la bilancia ci attribuirà un chilo in più, e ci saremo rovinati inutilmente la serata. Inutilmente perché qualunque confronto sarebbe privo di fondamento.
Per creare un buon rapporto con la bilancia il metodo della depurazione metabolica prevede quattro regole da seguire che riguardano il *come*, il *quando* e il *quanto spesso* pesarsi:

› ***Come:*** gli indumenti hanno peso variabile, dai pantaloni invernali a quelli estivi, e possono essere responsabili di oscillazioni di peso importanti. Il modo migliore per pesarsi è nudi o con la sola biancheria intima.

› ***Quando:*** al mattino a digiuno, dopo aver urinato e se possibile dopo aver liberato l'intestino.

› ***Quanto spesso:*** per quanto la tentazione di pesarsi ogni giorno o più volte al giorno sarà irrefrenabile, è importante pesarsi solo in alcuni specifici giorni del percorso, ovvero il primo, il quarto, il decimo e il trentunesimo giorno.

› **Last but not least: non cambiare mai la bilancia.**

Quindi ci siamo: giorno uno. Vi svegliate al mattino, fate un bel respiro, vi liberate dai liquidi corporei e dalle scorie, vi lavate la faccia e finalmente è giunto il momento di salire sulla bilancia. Quanto indica? 80, 60, 110, non importa: è solo un numero da contestualizzare, il peso non è nient'altro che un valore complessivo della massa magra e di quella grassa. Non esiste un peso corretto che sia universale per tutti. Siamo diversi e abbiamo ciascuno la propria costituzione. Pesare 90 chili è tanto? Difficile rispondere in termini assoluti, dipende... In una persona alta un metro e quaranta risulterà un valore eccessivo, ma se rapportato a una statura di uno e novanta, per esempio, sarà un valore assolutamente in linea.
A questo punto scrivete il peso su un foglio bianco, liberandovi da qualsiasi forma di stress, ansia e giudizio.

Secondo step. L'altezza

Un secondo parametro fondamentale da prendere in considerazione è l'altezza, grazie alla quale possiamo definire il nostro IMC (Indice di Massa Corporea).
Per misurare la propria altezza si può utilizzare una parete priva di battiscopa. A piedi scalzi, allinearsi alla parete in posizione eretta e con una matita, schiacciando i capelli e arrivando a contatto con la parte alta della cute del cranio, lasciare un segno alla parete. A questo punto, con un comune metro da sarta, si misurerà la distanza da terra al segno della matita sul muro. Annoteremo la nostra altezza sullo stesso foglio dove abbiamo appuntato il peso.
Con altezza e peso possiamo stabilire il nostro IMC con un semplice calcolo.

L'IMC è un parametro che mette in relazione la massa corporea e la statura di un soggetto e si ottiene dividendo il peso espresso in chilogrammi per il quadrato dell'altezza espressa in metri.

$$IMC = Kg / m^2$$

Secondo l'Organizzazione mondiale della sanità l'IMC è raggruppabile in 4 categorie:

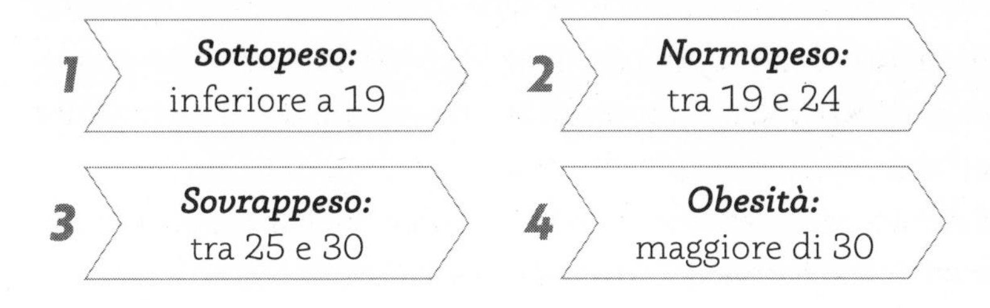

Terzo step. La circonferenza vita

Non basta l'IMC per conoscere lo stato della propria forma fisica. Un altro dato che ci offre informazioni importanti è il giro vita. Un metabolismo rallentato – da scelte alimentari scorrette o periodi di diete ipocaloriche prolungati, per esempio – reagisce all'ingresso di alimenti nel corpo creando depositi di grasso. Queste scorte adipose si accumulano tendenzialmente nella parte inferiore del corpo: nella regione dei glutei e delle cosce per le donne, a livello addominale per gli uomini.[2] Non

2 *Questo era indubbiamente vero fino a 30 anni fa. Oggi, per motivi che non sono ancora del tutto chiari e che probabilmente hanno a che fare con la qualità, la scelta dei cibi, disordini metabolici, sempre più donne giovani e adulte dimostrano la tendenza alla pancetta. Al di là del tema estetico, questa tendenza rappresenta un problema perché numerosi studi scientifici hanno dimostrato che l'accumulo di grasso addominale è quello più dannoso per la salute.*

a caso un valore elevato della misura della circonferenza vita è annoverato tra i fattori di rischio della sindrome metabolica, che ha come risultato finale l'iperinsulinemia (alti livelli di insulina nel sangue, indice di aumentata insulino-resistenza) e, nei casi più gravi, il diabete.
Oltre ad altezza e peso sarà quindi di fondamentale importanza rientrare in una fascia di normalità anche con il valore della circonferenza vita, perché se è abbondante indica alti valori di grasso viscerale, responsabile della secrezione di interluchine pro-infiammatorie che sostiene l'infiammazione cronica, l'acidosi sistemica, il blocco del metabolismo e la tendenza alle patologie metaboliche.
Le linee guida internazionali consigliano di mantenere la circonferenza vita al di sotto degli 80 centimetri nelle donne, 94 negli uomini.
Prendere le misure è un gioco da ragazzi: procuratevi un comune metro da sarto a nastro, poi posizionatevi davanti a uno specchio e scoprite l'addome. Portate il metro a livello della vita subito sopra il bordo superiore delle creste iliache (se il punto vita non è ben evidente potete prendere come punto di riferimento l'ombelico) e giratelo intorno facendo attenzione a tenerlo parallelo al suolo. Mantenete una posizione eretta ma non trattenete il respiro e non contraete i muscoli addominali quando prendete la misura (e, ovviamente, non tirate la pancia in dentro!).

Adesso che abbiamo schedato i nostri parametri fisici essenziali, sarà facile stabilire l'obiettivo: mantenerci all'interno di un IMC di normalità compreso tra 19 e 24, e ridurre la circonferenza vita al di sotto dei valori soglia indicati. Ricordiamo sempre che non lo stiamo facendo per vanità: il grasso non è

un semplice magazzino inerte di cibo in eccesso ma, quando superiamo la fascia di sovrappeso, è considerato un vero e proprio organo endocrino a cui è legato l'innalzamento del rischio di sviluppare patologie metaboliche come diabete di tipo 2, ipercolesterolemia, ipertensione, ictus, infarti e in generale insulti di natura vascolare.
Il metodo del Restart metabolico richiede di prendere e appuntare le misure di peso, altezza e giro vita quattro volte nel corso dei 31 giorni di programma: il giorno 1, 4, 10 e 31. Vi consiglio di scrivere i valori sempre sulla stessa pagina del vostro «diario di bordo», in modo da poterne apprezzare la graduale e costante discesa con un semplice sguardo.
Dopotutto anche l'occhio vuole la sua parte.

Definiamo l'obiettivo e tre motivazioni

Prima di iniziare un nuovo percorso è buona norma concedersi del tempo per definire con chiarezza gli obiettivi che si intendono perseguire. A chi vuole intraprendere il percorso del Restart metabolico seguendo il mio metodo io consiglio sempre di iniziare sedendosi a una scrivania con un foglio bianco e una penna, e di riflettere prima di mettere per iscritto la risposta a queste due semplici domande:

› ***Cosa voglio ottenere?***
› ***Perché?***

La prima domanda è semplice: nel paragrafo precedente abbiamo stabilito un obiettivo comune, ovvero raggiungere un valore IMC che rientri nel range normopeso e una circonferenza vita che si attesti entro i 94 centimetri per l'uomo e gli 80 per la donna.

La seconda domanda, invece, richiederà un maggiore sforzo introspettivo. Il mio suggerimento è di elencare almeno tre valide motivazioni a sostegno del nostro obiettivo, da tenere a mente e a cui rivolgersi in cerca di aiuto nei momenti (inevitabili) in cui la determinazione potrebbe vacillare.

Proverò a fornirvi qualche spunto: chi segue il percorso del Restart metabolico dal giorno 1 al giorno 31, senza sgarri e senza interruzioni, può raggiungere finalmente un traguardo importante, una nuova condizione di diffuso benessere psicofisico. Per qualcuno la motivazione principale potrebbe essere il desiderio di svegliarsi al mattino e sentire i polmoni liberi, il respiro profondo e disteso, niente più catarro accumulato nella notte da espellere con i colpi di tosse. Per altri sarà non avere più problemi intestinali: niente più stipsi né dissenteria, con conseguente incremento dell'energia. Dire addio alla stanchezza serale, alle gambe pesanti, ai crampi, alle ossa scricchiolanti e doloranti al risveglio. Avere tanta voglia di fare, non sentirsi più costantemente sotto stress.

È un sogno? No, è il punto in cui il nostro metabolismo riprenderà a funzionare in armonia con i nostri pensieri, le nostre viscere, i nostri muscoli, le nostre ossa. E ci sentiremo nuovamente noi stessi.

Può bastare, questa consapevolezza, per offrirci il sostegno necessario a impegnarci nel programma e portarlo a termine?

Voglio essere del tutto sincero con i miei lettori, a questo punto del nostro percorso. La mia risposta è: no, io non credo che basti. Tutti abbiamo bisogno di una scintilla in più, per passare dall'inerzia all'azione.

Se ci guardiamo indietro, quante volte ci è capitato di prendere mentalmente degli impegni con noi stessi che poi non abbiamo rispettato, continuando a procrastinare all'infinito? Forse sul divano, mentre vi piegavate per allacciare le scarpe e la pancia vi ostacolava i movimenti, vi sarete lamentati ripetendovi: «sono grosso, da domani mi metto a dieta». Ma *da domani*. E intanto *oggi* prendevate «l'ultimo» dolcetto, o un altro gelato, pensando «tanto da domani non...»

Se restate seduti ad aspettare che arrivi la motivazione, vi garantisco che non arriverà mai!

Per cambiare realmente, bisogna passare dal pensare al fare. Ecco perché è così importante trovare le motivazioni giuste, adesso. Sbagliare, in questa fase, significa minare la riuscita dell'intero progetto.

L'errore più comune a questo punto è darsi delle motivazioni futili e non fondanti. Per esempio: voglio scolpire il mio corpo per trovare il principe azzurro. Oppure: la mia ex adesso sta con il mio migliore amico, mi rimetterò in forma per riprendermela. Ebbene, in un caso o nell'altro, credetemi: è molto probabile che vi stanchiate ben prima di raggiungere il traguardo, e le motivazioni addotte non basteranno a tenervi in carreggiata. Non pensate di fare questo percorso *per gli altri*. Dovete farlo solo per voi stessi, e per riuscirci avete bisogno di raggiungere una nuova consapevolezza di voi stessi.

Visualizzate i nuovi voi stessi: immaginate la migliore versione di voi, pancia piatta, fianchi snelli, fisico scolpito. Immaginare non costa nulla. Adesso quell'immagine sarà la vostra guida nei momenti di difficoltà.

Per non perdere la motivazione bisogna stare nell'azione e questo libro vi guiderà passo dopo passo per i prossimi 31 giorni, portandovi a maturare una nuova consapevolezza, sostenuti dalla migliore immagine di voi stessi.

Come tutti, potrete vivere dei momenti no. Ciò che conta davvero è non lasciarsi influenzare dagli eventi negativi e mantenere fermo l'obiettivo. Lasciate che gli ostacoli vi scivolino addosso. Trasformate le emozioni in positivo. E quello sarà un momento di felicità indicibile, quando riporrete la Nutella nella credenza e, per sfogarvi, indosserete invece tuta e scarpe da ginnastica e uscirete a fare una passeggiata per equilibrare gli ormoni dello stress.

Lo dovete a voi stessi: alla persona che siete oggi e soprattutto a quella che vi aspetta in fondo al percorso che state iniziando.

Siamo pronti. Adesso riprendete il foglio e scrivete le vostre tre motivazioni. Conservate questo foglio in un posto dove potrete facilmente raggiungerlo. Sarà la vostra forza nei momenti difficili.

CAPITOLO 2

Cosa blocca il metabolismo

L'obesità e il sovrappeso sono uno «stato naturale»? Avete mai visto un lupo o una scimmia grassi? Gli animali, quando vivono liberi nel proprio habitat, non accumulano peso in eccesso. Perché noi invece sì?

La differenza sostanziale sta nel fatto che gli animali sanno, per istinto, qual è il cibo migliore per la loro specie. L'uomo al contrario lo ha scordato e ha sostituito gli alimenti integri – un frutto, una verdura, un pesce, un riso in chicco, un uovo – con gli alimenti modificati dall'industria alimentare. Abbiamo sostituito perfino l'acqua naturale con quella gassata!
Ma c'è dell'altro. Torniamo al nostro lupo: libero di cacciare e vivere nei suoi boschi, questo splendido animale è in costante movimento. Invece noi trascorriamo intere giornate senza muoverci, spesso senza fare nemmeno una breve passeggiata. Eppure di fronte a un evidente sovrappeso e all'ennesima dieta fallita, chi di noi non si è ritrovato a incolpare del proprio stato la genetica, o i disordini ormonali? Ci convinciamo che la nostra rotondità, l'essere appesantiti e fuori forma, sia una tendenza fisiologica inevitabile: con gli anni aumenta anche il peso, e non parliamo poi della menopausa...

Sbagliato. Sono le nostre scelte quotidiane che condizionano il nostro aspetto e il nostro stato di salute, non è una condanna alla quale non possiamo sottrarci! Una volta appurato questo dato di fatto, soffermiamoci un momento sul concetto di «peso».

Peso, metabolismo e spesa energetica

I muscoli sono il motore del nostro organismo: più saranno tonici, più elevata sarà la cilindrata del motore. Ma se non possiamo aumentare la cilindrata della nostra utilitaria, con il nostro corpo possiamo farlo!

Il peso corporeo è il risultato della somma tra massa grassa e massa magra. Quando la massa grassa è in eccesso rispetto a quella magra il metabolismo rallenta. Al variare del nostro metabolismo varierà anche la spesa energetica del nostro organismo, che è determinata:

- ***per il 60% dal metabolismo basale***
- ***per il 25% dal metabolismo attivo***
- ***per il 15% dall'entropia degli alimenti.***

Per metabolismo basale si intendono le calorie spese dal nostro organismo quando è in stato di riposo.
Per metabolismo attivo le calorie spese durante lo sforzo fisico e intellettuale della nostra giornata.
E per entropia degli alimenti l'energia necessaria alla metabolizzazione degli alimenti nel momento in cui li introduciamo.

Per dimagrire dobbiamo intervenire sul metabolismo basale aumentando la massa magra e riducendo la massa grassa. Possiamo immaginare i nostri muscoli come il motore del nostro organismo: più saranno tonici, più elevata sarà la cilindrata del motore. Al contrario, una muscolatura flaccida sarà l'equivalente di una bassa cilindrata. La cilindrata di un'auto è determinante per le prestazioni e la qualità della guida: a tutti piace viaggiare su una macchina veloce, scattante, in ottime condizioni. Sensazioni ancora più piacevoli quando riguardano il nostro corpo! Ma il meglio è che, mentre non possiamo fare molto per aumentare la cilindrata della nostra utilitaria, possiamo eccome quando si parla del nostro fisico.
Il metodo del Restart metabolico è il vostro aiutante meccanico: insieme potrete rinnovare cilindrata, interni e carrozzeria.

Torniamo adesso alla domanda con cui si è aperto il capitolo: l'obesità è uno «stato di natura»? No. Il sovrappeso non esiste in natura ma è il risultato di scelte scorrette.
Esiste una «ricetta» del sovrappeso? Sì, esiste e si compone di quattro ingredienti:

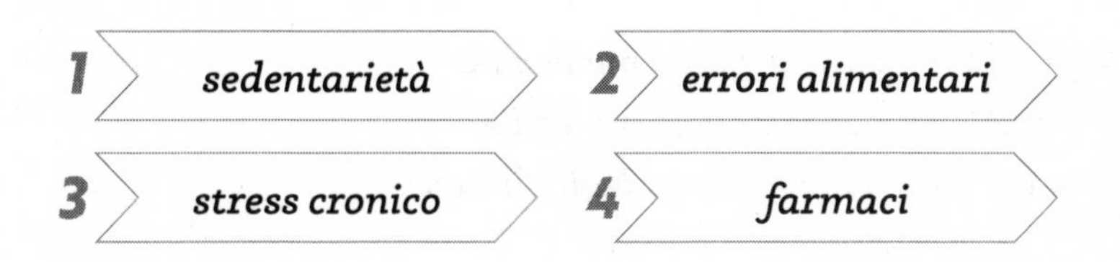

La combinazione di queste variabili dà vita a un'ampia gamma di situazioni, ognuna differente, ma tutte accomunate da un aspetto: sono capaci di innescare forti risposte adattive da parte dell'organismo umano. E quell'adattamento porta alla creazione di nuovi equilibri non sempre positivi.

Proviamo a «giocare» con questi ingredienti e vediamo i modi in cui il nostro corpo si ingegna per adattarsi e sopravvivere a ciascuna condizione critica.

La vita sedentaria ingrassa

Mio nonno conobbe mia nonna negli anni Trenta. Il loro fu un amore a prima vista, si incontrarono a una sagra paesana e scoccò il colpo di fulmine. Poiché abitavano in due paesi che distavano venticinque chilometri l'uno dall'altro, ogni giorno il nonno inforcava la bicicletta dopo il lavoro e pedalava come un pazzo per andare a trovare la sua amata, percorrendo così la bellezza di cinquanta chilometri quotidiani.
Mio nonno aveva gambe forti. E certo! Il suo corpo si era adattato alla situazione e si era rinforzato giorno dopo giorno.
E se si fossero incontrati oggi? Nel frattempo alcune cose sono cambiate: l'automobile è diventata accessibile a chiunque, per cui il nonno non dovrebbe più usare la bicicletta (e i propri muscoli) per andare a trovare la nonna. Anche il telefono è arrivato in tutte le case, anzi in tutte le tasche, per cui oggi il nonno per comunicare con la nonna non dovrebbe più percorrere tre chilometri per recarsi in posta a inviare una lettera, ma potrebbe limitarsi a chiamarla stando comodamente sul suo divano. E già che è sul divano, perché non accendere il televisore? Il nonno non avrebbe più voglia di uscire la sera a passeggiare in piazza con gli amici: potrebbe passare il tempo restando molto più comodamente a casa propria.
Insomma avete capito: l'ingrediente della sedentarietà è servito e, se stiamo seduti per gran parte della giornata, anche il nostro organismo dovrà adattarsi alla nuova condizione. Non

avrà più bisogno di un forte tono muscolare, ma per farci stare più comodi sul divano avrà bisogno di più grasso, come a creare una specie di cuscino naturale.

Gli errori alimentari ingrassano

Negli anni Trenta il nonno viveva in un contesto agricolo, badava alle galline, ai maiali, all'orto e si alimentava di frutta fresca e secca, verdura di stagione, cereali in chicchi, uova, poca carne. Tutti alimenti genuini e non confezionati.
Proviamo a rimescolare un po' le carte e aggiungiamo al calderone gli errori alimentari più comuni per un uomo dei nostri giorni: oggi viviamo in contesti altamente industrializzati, le coltivazioni e gli allevamenti sono intensivi, l'industria alimentare sforna prodotti altamente processati, accattivanti nelle loro belle confezioni colorate, per rifornire i supermercati che dispensano cibi sempre più raffinati.
Una nostra giornata alimentare tipo, oggi, inizia con una colazione così composta: caffè +/- zucchero, cornetto e cappuccino, fette biscottate con marmellata, latte. Per merenda spesso uno snack rapido, merendine, biscotti o simili. A pranzo un piatto di pasta al pomodoro più vari condimenti, preferibilmente di carne. Nel pomeriggio una merendina. E a cena si finisce con un secondo, spesso di carne, un panino con prosciutto e mozzarella, e si conclude sul divano con un dolcetto. Vi siete riconosciuti? Bene, adesso vediamo brevemente quali sono gli errori principali di questo genere di regime alimentare.
Tendiamo a introdurre quotidianamente alimenti «a calorie vuote», ovvero con tante calorie ma poveri di micronutrienti intesi come minerali e vitamine. Non a caso oggi il mercato

degli integratori vitaminici è sempre più florido, nelle farmacie e nei supermercati.
Introduciamo ogni giorno anche un'enorme quantità di zucchero sotto varie forme (pasta, pane, pizza, zuccheri aggiunti, succhi di frutta e bibite di ogni tipo) che fanno alzare la glicemia e l'insulina.
Introduciamo glutine da grano, troppo spesso modificato geneticamente, lattosio, caseina, carne rossa e insaccati.
Introduciamo un'enorme quantità di grassi saturi di origine animale, di grassi insaturi transgenici e di prodotti OGM.
Abbiamo ridotto significativamente l'introduzione di fibre alimentari, di frutta e verdura di stagione, fatta eccezione per le solanacee – patate, pomodori, peperoni e melanzane. Quelle sì che le mangiamo, sempre, senza stagionalità e senza neanche rendercene più conto: sono ovunque.
Se analizziamo la nostra giornata alimentare tipo quel che notiamo è la tendenza a consumare una scarsa varietà di alimenti. Li assumiamo magari in forma diversa, ma sono sempre loro: zucchero, lievito, glutine, lattosio, caseina, carne rossa, carni conservate, solanacee.
Queste scelte nel tempo conducono al rallentamento del metabolismo e alla fisiologica tendenza a ingrassare.

Lo stress ingrassa

Chi può dire di non essere stressato? I nostri ritmi di vita sono in attrito con le nostre caratteristiche biologiche e questo comporta una diffusione quasi epidemica dello stress.
È diventato così comune da essere sistematicamente sottovalutato, o citato a sproposito in relazione ai disturbi più diversi.

Ho l'herpes, vado dal medico, e alla fine mi sento dire «non preoccuparti, è colpa dello stress». Non so voi, ma questo genere di frasi finisce per stressarmi ancora di più, perché sottintende che allo stress non ci sia cura.
Non è affatto così. Intanto ciò che è percepito come stressante da una persona non necessariamente lo sarà per un'altra. Di fatto lo stress non è una condizione oggettiva ma solo una percezione. Se cento persone sono messe davanti allo stesso evento stressante, venti reagiranno manifestando disagio e le altre ottanta no, perché? Perché la nostra «costituzione emotiva» ci fa reagire in maniera diversa a stimoli analoghi.
Quel che è vero, però, è che con il tempo lo stress si cronicizza, propagandosi dentro di noi come un'onda fino ad attivare l'espressione di alcuni ormoni, primo fra tutti il cortisolo, detto anche – infatti – l'ormone dello stress.
Il cortisolo, che abbiamo già incontrato nel capitolo precedente, è un ormone prodotto dalla corticale del surrene su stimolazione dei centri ipotalamici e svolge numerose funzioni vitali, prima fra tutte l'azione antinfiammatoria. Il cortisolo è un antinfiammatorio molto potente e infatti l'uomo ha sintetizzato il suo precursore, il cortisone, che introdotto farmacologicamente nel corpo agisce dopo essere stato trasformato anch'esso in cortisolo. Il cortisone è il più potente antinfiammatorio di sintesi che esista ma ha effetti collaterali importanti, in particolar modo aumento di peso e gonfiore.
Perché succede?
Il nostro corpo produce il cortisolo per ridurre il livello di infiammazione e stimolare i sistemi di allarme ad affrontare eventuali situazioni di pericolo. In caso di reale pericolo, insomma, il cortisolo è il nostro salva vita: ci permette di reagire con una forza, una velocità e una determinazione quasi sovraumane.

Il cortisolo però si attiva anche in condizioni che *il nostro organismo* percepisce come pericolose, ma pericolose non sono: quando dobbiamo affrontare una complicazione imprevista per esempio, quando qualcosa va storto, o ci fa arrabbiare, o ci ferisce. In quei casi l'azione «energizzante» del cortisolo non potrà sfogarsi concretamente, se non facendoci accumulare tonnellate di inutile stress.
Nel tempo lo stress diventa cronico e il cortisolo è sempre più alto, a questo punto le ripercussioni sul metabolismo non mancheranno di manifestarsi. La prima sono gli attacchi di fame nervosa, in particolare il desiderio di mangiare dolci. Questo avviene perché gli zuccheri dei dolci attivano la produzione della serotonina, che riduce il cortisolo. La voglia di dolci quindi non è solo una compensazione psicologica ma diventa un vero e proprio imperativo biologico.
Altra conseguenza negativa dell'eccesso di cortisolo è la graduale perdita di massa muscolare e il contemporaneo, graduale aumento di massa grassa. Con la massa muscolare diminuisce anche il numero di mitocondri che fornisce energia ai muscoli. Questi organelli sono le nostre centrali di produzione energetica. Migliore è la loro attività, più alto sarà il nostro metabolismo basale. Vivere costantemente in una condizione di stress fa sì che i muscoli si assottiglino sempre di più, spegnendo la richiesta energetica mitocondriale.
Alti livelli di cortisolo inoltre interferiscono con l'attività della tiroide, da cui dipende la produzione di alcuni ormoni di regolazione i quali agiscono direttamente, tra l'altro, sui nostri livelli metabolici e sulla produzione di nuovi mitocondri. Quando siamo in una situazione di ipercortisolemia, gli ormoni tiroidei si trasformano in un vero e proprio freno a mano del metabolismo. Riassumendo, da una parte lo stress induce continui attacchi

di fame che portano a ingurgitare soprattutto carboidrati e zuccheri, specialmente di notte; dall'altra favorisce un generale rallentamento del metabolismo basale. Il risultato è un inesorabile accumulo di grasso: l'energia inespressa derivante dallo stress si trasforma in un accumulo che modificherà l'aspetto del tuo corpo.

L'aspetto che più mi ha affascinato di questo meccanismo è che la nostra biochimica non distingue il vero dal falso. Non può sapere se l'attivazione del cortisolo è determinata da un eccesso di zuccheri, da una lite furibonda o da un pericolo imminente, ma nel momento in cui la macchina metabolica si attiva, se non riusciamo a individuare la chiave dell'innesco di questo processo infiammatorio, ogni tentativo di dimagrire e tornare in forma sarà destinato a fallire. Ecco perché è indispensabile avere una visione realmente integrata della nostra salute: minacciata e inceppata da *tutte* le forme di scorie – materiali (tossine) e immateriali (emozioni) – che entrano nel nostro corpo.

In questo libro spiegherò come affrontare questo stato di cose e riequilibrare il nostro arsenale ormonale in modo da ritrovare una armoniosa forma fisica senza sforzo.

Ma intanto, quel che serve ricordare qui è un semplice motto: chi ti stressa ti ingrassa! E come abbiamo appena visto, non è solo un modo di dire. La buona notizia è che esistono semplici tecniche la cui pratica ci aiuta a rialzare i livelli di serotonina senza ricorrere a zuccheri e carboidrati o senza mandare a rotoli la nostra vita. Ne parleremo più avanti, nel capitolo 4.

(Certi) farmaci ingrassano

Lo stress ossidativo è rappresentato da un eccessivo accumulo di radicali liberi all'interno del nostro organismo. Si tratta di molecole o atomi che possiedono degli elettroni in meno e che, quando sono in eccesso, destabilizzano i delicati equilibri delle strutture cellulari. Qualunque funzione vitale determina accumulo di radicali liberi, camminare, respirare, perfino il battito del cuore. Ma il nostro organismo è una macchina perfetta e per evitare l'accumulo di radicali liberi prodotti ha a disposizione dei formidabili sistemi antiossidanti. Ne esistono diversi ma i due principali sono il coenzima Q10 e il glutatione.
Immaginate una cellula come una grande città. I mitocondri sono le fabbriche della città: producono l'energia necessaria alle nostre funzioni vitali e sono anche le strutture che più di tutte sfornano «inquinamento», ovvero radicali liberi. Motivo per il quale la più alta concentrazione di coenzima Q10 la troviamo proprio nel mitocondrio, dove svolge le funzioni di una «squadra di spazzini»: ripulisce in modo da non far arrivare le scorie nocive in centro, ovvero nel nucleo della cellula. Se qualcosa sfugge agli spazzini, interviene il glutatione, che è un po' la «guardia armata» della città: situato nel citoplasma tra il nucleo e il mitocondrio, si adopererà immediatamente per neutralizzare l'elettrone spaiato donando un idrogenione.
Il problema è che i radicali liberi non si formano solo come residuo delle nostre funzioni vitali. Ci sono numerose altre sostanze che lo fanno: sono definite xenobiotiche, perché sono esterne al nostro organismo (possono essere di origine naturale o sintetica) e ne sono un esempio il fumo di sigaretta, l'alcol, gli additivi alimentari, l'inquinamento delle città, i metalli pesanti, i pesticidi, i coloranti e i farmaci. Quando superano

la membrana cellulare incontrano il glutatione, che inizia a sparare i suoi idrogenioni per neutralizzarle, ma inutilmente. Il solo modo per annientare questo tipo di nemico è l'harakiri, infatti il glutatione dovrà «suicidarsi» per trasportare via lo xenobiotico. Si produce così una carenza di glutatione. A quel punto entra in campo il coenzima Q10: si determina un impoverimento dei sistemi antiossidanti e un aumento dello stress ossidativo, che nel tempo porta a una riduzione del numero di mitocondri, a una riduzione di tessuto muscolare, riduzione del metabolismo e aumento di peso.

Sto dicendo, insomma, che l'utilizzo di farmaci è nocivo? Come diceva mia nonna: il farmaco aggiusta una cosa e ne rompe un'altra. Chiariamo subito un concetto fondamentale: il progresso della chimica farmaceutica ha permesso un deciso miglioramento delle nostre condizioni di salute e ci ha spalancato le porte della longevità. Tuttavia oggi abbiamo probabilmente smarrito il senso della misura nel ricorso ai farmaci. Siamo passati da un utilizzo occasionale o necessario a un abuso vero e proprio.

Tutti i miei clienti, anche giovani, quando mi informo sul loro utilizzo di farmaci in prima battuta rispondono categoricamente che non ne fanno un uso continuativo ma solo in caso di necessità. Ma quando poi provo a fare qualche altra domanda per indagare più a fondo, scopro che è vero il contrario: molte donne per esempio fanno ricorso periodicamente agli antinfiammatori per via dei dolori mestruali, ma gli esempi non si esauriscono qui, si usano anfetamine per dimagrire, antibiotici per un raffreddore, benzodiazepine per l'insonnia.

Se le scorie derivanti dall'attività fisiologica umana vengono smaltite con grande facilità dai nostri organi emuntori, non possiamo dire la stessa cosa per i metaboliti dei farmaci, dei pesticidi, dei metalli pesanti e dell'inquinamento in generale. Queste sostanze infatti non sono naturali e sottopongono il nostro fegato, i nostri reni, il nostro organismo in generale a uno sforzo enorme per poterle gestire ed espellere.

L'organo che più di altri è coinvolto nello smaltimento degli scarti metabolici dei farmaci è sicuramente il fegato, che è il filtro del nostro organismo. L'accumulo di tossine derivante dall'uso costante e spropositato di farmaci lo appesantisce e lo sporca fino a creare condizioni patologiche tipiche, come la steatosi epatica non alcolica, ma anche un blocco del metabolismo epatico. Un fegato pieno di tossine non riuscirà a sostenere il nostro organismo da un punto di vista metabolico e questo contribuirà in maniera sensibile a farci aumentare di peso.
Inoltre le tossine che non saremo riusciti ad espellere dovranno necessariamente essere parcheggiate nei nostri tessuti (che è un po' come nascondere la polvere sotto al tappeto). Il problema però è che queste scorie non sono completamente inerti e per evitare che creino danni cellulari il corpo ha la necessità di isolarle richiamando acqua nei tessuti. Esatto: la ritenzione idrica è in realtà un meraviglioso meccanismo di protezione del nostro corpo! Ma dagli antiestetici effetti collaterali.

Un intestino pigro non è «normale»

Il nostro intestino è popolato da miliardi di abitanti tra batteri, funghi, virus, parassiti che convivono in un perfetto equilibrio di collaborazione con l'organismo ospitante e costituiscono il nostro microbiota.

Il caso

La signora Maria (nome di fantasia), 50 anni, si rivolge a me disperata perché non riesce a risolvere un problema di stipsi ormai diventata cronica. Nel primo incontro mi racconta che da ragazza aveva un intestino regolare come un orologio svizzero e poteva concedersi di mangiare qualsiasi cosa. Maria ricorda le prime irregolarità intestinali associate ai primi stress legati alla scuola: episodi diarroici prima di un esame e poi stipsi per i due giorni seguenti.
Confessa di non aver dato importanza a quei primi sintomi. Ma nel tempo quei lievi problemi aumentano e Maria arriva al punto di non riuscire ad andare di corpo per oltre cinque giorni consecutivi. Si sa, quando l'intestino soffre anche la psiche ne risente: siamo più nervosi, ansiosi, spesso viviamo veri e propri periodi di depressione, di chiusura in noi stessi. La signora Maria non fa eccezione ma, poiché parlare dei propri problemi intestinali la imbarazza, tiene tutto per sé e non si rivolge neanche al medico. Fino a quando non vede in tv la pubblicità di un rimedio miracoloso contro la stipsi e si precipita in farmacia. I disturbi migliorano quasi istantaneamente, come per magia. Ma ben presto per ottenere qualche risultato la signora Maria deve aumentare le dosi: sta scoprendo sulla propria pelle che, nell'uso quotidiano, i lassativi tendono a peggiorare l'infiammazione della mucosa intestinale provocando anche dolori addominali.
A quel punto le cade il mondo addosso e si convince di doversi tenere a vita il problema. Al contrario: applicando scrupolosamente il Restart metabolico la signora Maria ha risolto in 20 giorni i problemi di irregolarità intestinale che la affliggevano da 20 anni.

Il microbiota svolge numerose funzioni, da quelle digestive a quelle immunitarie. Quando il suo equilibrio viene alterato si crea una situazione di *disbiosi*: cattiva digestione, gonfiore, meteorismo, dolori addominali e irregolarità intestinali ne sono i sintomi più diffusi. Da cosa dipende? Numerosi studi confermano che un'alimentazione quotidiana ricca di alimenti di origine animale e alimenti raffinati - carne rossa, insaccati, latte vaccino, derivati del latte, zucchero, glutine, ma anche alcune verdure come le solanacee - innesca, con meccanismi differenti, l'infiammazione della mucosa intestinale. Sono i cosiddetti alimenti pro-infiammatori, il grilletto che innesca uno squilibrio che, se non curato, cronicizza e produce un'ampia gamma di disturbi del tratto gastro-intestinale. L'intestino infiammato infatti non riesce ad assimilare gli zuccheri complessi e le proteine derivanti da questo regime alimentare, così i primi andranno in fermentazione e le seconde in putrefazione. A seconda della sensibilità di ciascuno, si produrranno fenomeni di meteorismo (subito dopo mangiato ci sentiremo gonfi come palloni e dovremo sbottonarci i pantaloni), stipsi, dissenteria, dolori addominali.
Lo stomaco intanto sarà costretto ad aumentare la funzione acida per supplire alla *défaillance* intestinale ed ecco perché alcuni potrebbero soffrire di reflusso e altri di gastrite. A lungo andare, se lo squilibrio non si normalizza, anche il fegato e il pancreas verranno chiamati in causa e risulteranno fortemente affaticati, mentre tutti i processi digestivi si rallenteranno. Ed è esattamente quello che abbiamo visto succedere alla signora Maria.
Con il tempo l'organismo si sovraccarica di tossine, che sono acide e acidificheranno l'ambiente. Per mantenere il proprio

ph costante (una condizione essenziale per il corretto funzionamento dell'organismo: «farsi il sangue acido» è solo un modo di dire, l'acidosi metabolica che altera il ph del sangue può rivelarsi, nei casi più gravi, anche letale), il corpo metterà in campo delle strategie tampone che, usando acqua, anidride carbonica e minerali presenti nell'organismo come calcio, magnesio, ferro, potassio e sodio, ripristineranno l'equilibrio. Ma a che prezzo? Ci disidratiamo e ci impoveriamo di magnesio e di calcio, con conseguente danno per la salute metabolica dell'intero organismo.

Una forte carenza di magnesio e di calcio ci spossa, abbiamo l'impressione di essere sul punto di sgretolarci. E se ci pensate è proprio la sensazione che proviamo il lunedì mattina dopo una grande abbuffata domenicale. Ma oltre a essere stanchi e affaticati ci sentiamo anche gonfi come un palloncino: questo accade perché l'organismo sta richiamando l'acqua dalle cellule determinando quello che tutti noi conosciamo con il nome di ritenzione idrica. Noi percepiamo solo secchezza cutanea, oculare, la classica bocca asciutta e impastata, e intanto a essere davvero disidratate saranno le nostre cellule. Ciò che non si vede è il danno da disidratazione a livello funzionale degli organi interni.

E sapete qual è l'organo che concentra più acqua in assoluto nel nostro organismo?

Il cervello.

La sensazione di smarrimento, confusione, lentezza di riflessi e mal di testa con cui ci svegliamo a seguito di una giornata di bagordi o forte stress è dovuta proprio a questo meccanismo.

Intestino pigro o in disordine, pesantezza, stordimento, disidratazione, stanchezza cronica. Se ignoreremo questi sintomi considerandoli «normali» o peggio ancora banali, e continueremo a consumare alimenti pro-infiammatori, o calorie vuote, a lungo andare incorreremo in un impoverimento di magnesio, calcio e acqua intracellulare, ed ecco serviti i presupposti del blocco metabolico. Una condizione nella quale le nostre cellule non riescono più a convertire in energia tutto il cibo che introduciamo e noi, di conseguenza, continueremo a sentirci sempre più deboli e spossati. Troppo impegnati per muoverci a sufficienza, troppo stanchi per costringerci a farlo nel tempo libero, eccoci vittime del circolo vizioso della sedentarietà, senza contare che, non permettendo al nostro corpo di sudare, gli impediremo anche di scacciare le tossine.

Nel mercato degli integratori alimentari, il magnesio, talvolta associato con il potassio, è tra quelli più venduti. Questo perché, come abbiamo visto, oggi ne siamo sempre più carenti e l'assunzione di questo minerale viene consigliata come panacea per una serie molto ampia di problemi apparentemente differenti: mal di testa, dismenorrea, insonnia, osteoporosi, asma o perfino crampi muscolari.
Vediamo alcuni dei sintomi tipici da carenza di magnesio che dovremmo considerare come un campanello d'allarme (e che molti di voi, ne sono certo, riconosceranno come piccoli disturbi frequenti!).

› ***Fame nervosa o* craving.** La carenza di magnesio si accompagna al desiderio di mangiare costantemente alimenti dolci. Questo perché per trattenere il glucosio e convertirlo in energia, le cellule hanno bisogno del magnesio. Altrimenti il glucosio torna in circolo nel sangue stimolando alti livelli di insulina, che a sua volta provoca ipoglicemia con conseguente attacco di fame.

› ***Dolori, crampi, dismenorrea e stanchezza muscolare.*** Il magnesio è un cofattore necessario per il buon funzionamento del metabolismo cellulare e partecipa, tra l'altro, al mantenimento dei muscoli in buona forma. La sua carenza è associata ad un abbassamento della soglia del dolore e possono comparire crampi e tensioni muscolari, mal di schiena, fino alla cosiddetta sindrome delle gambe senza riposo, una sintomatologia fastidiosa che colpisce in modo più acuto quando ci si trova in una condizione di riposo.[3]

› ***Insonnia.*** Il magnesio è coinvolto nei processi di regolazione sonno veglia attraverso l'attivazione del sistema parasimpatico. La sua carenza determina disturbi del sonno che vanno dalla difficoltà ad addormentarsi, ai risvegli notturni, al sonno non ristoratore.

› ***Apatia e stress.*** Possono essere sintomi di una alterazione psicologica dell'umore, ma prima di valutare qualunque altro intervento è sempre bene escludere eventuali carenze di magnesio, i sintomi sono gli stessi.

› ***Affaticamento.*** Il magnesio ha un ruolo attivo nel ciclo di Krebs, ovvero il processo che consente ai mitocondri delle nostre cellule di produrre energia. Se si inceppa avremo meno energia e ci sentiremo più stanchi.

› ***Reflusso gastroesofageo e stipsi.*** Il magnesio è collegato alla forza contrattile della muscolatura liscia e delle valvole, come

3 *La sindrome da gambe senza riposo potrebbe anche celare l'insorgenza di patologie più gravi come il Parkinson o problemi cardiovascolari. Insomma chi ne soffre farebbe meglio a rivolgersi al medico per un consulto.*

quella del cardias o dell'intestino. Quando manca si può verificare un indebolimento del cardias, e il contenuto acido dello stomaco può risalire nell'esofago irritandolo per differenza di ph, dando vita a fenomeni infiammatori. Oppure può risultare indebolita la muscolatura liscia a livello intestinale, e allora saremo costipati.

> ***Mal di testa.*** Le cause possono essere moltissime, in realtà: carenza di magnesio, ma anche di vitamina A, B, C e D. Tuttavia per assorbire queste vitamine il nostro corpo ha bisogno di magnesio: e tutto torna! La carenza di magnesio sostiene inoltre una vasocostrizione a livello cerebrale, ovvero l'emicrania vasomotoria. (Per lo stesso motivo la carenza di magnesio si associa anche a ipertensione.)

> ***Permeabilità intestinale.*** La carenza di magnesio può impedire la sintesi del glutatione, che come abbiamo visto è il nostro più potente antiossidante e chelatore di metalli pesanti. Una sua carenza è collegata a permeabilità intestinale, che a sua volta è collegata a patologie autoimmuni.

Il magnesio insomma è un minerale davvero importante per la salute del nostro organismo. Pensate che è il settimo minerale più abbondante in natura. Lo troviamo in tutte le verdure, nei semi oleaginosi e nella frutta secca, persino l'acqua ne è ricca. Ma se è così semplice da trovare, come è possibile che ne diventiamo carenti? Dipende, come abbiamo visto nel paragrafo precedente, dai meccanismi tampone che il nostro corpo mette in atto per liberarsi dalle tossine, da scelte alimentari sbagliate, da uno stile di vita non sostenibile.
Per risolvere la carenza di magnesio possiamo ricorrere agli

integratori, che faranno rapidamente scomparire i sintomi. Ma così agiremo solo sugli effetti: non appena sospenderemo l'integratore ci troveremo al punto di partenza.[4] In alternativa possiamo cercare di capire *perché* e intervenire per correggere le cause. Secondo la medicina classica, i principali indiziati sono: alcolismo, malnutrizione, importanti patologie associate (come l'insufficienza renale). Esclusi questi fattori «critici», la nostra indagine alla ricerca del colpevole incontra subito alcune nostre vecchie conoscenze: l'abuso di alimenti industriali, sempre più raffinati e processati, e di farmaci; lo stress che intossica le nostre vite; le sostanze inquinanti che ci assediano.
Seguendo le indicazioni e i principi del Restart metabolico correggeremo gli errori più comuni che inducono il nostro corpo e la nostra forma psicofisica a una situazione di squilibrio, e riusciremo così a compensare anche la carenza di magnesio (e non solo) in modo naturale e risolutivo.

La sindrome del glucagone «smarrito»

In questo capitolo abbiamo passato in rassegna le principali cause di un metabolismo rallentato, inceppato e «portato» a farci ingrassare. Ne abbiamo rintracciato i principali responsabili nell'alimentazione scorretta che sostiene alti livelli infiammatori e ci priva dei nutrienti essenziali e in uno stile di vita sedentario e stressante: tutti problemi su cui possiamo agire con

4 *Se manifestate uno o più sintomi tra quelli sopra elencati, vi consiglio per un breve periodo di ricorrere ad una adeguata integrazione ma non dimenticate di agire contemporaneamente sulle cause. Il magnesio è un blando alcalinizzante, rafforza il parasimpatico, il che significa che è preferibile assumerlo la sera, momento della giornata in cui vogliamo ridurre l'ortosimpatico, il cortisolo e stimolare la serotonina.*

il metodo del Restart metabolico. A questo punto c'è un ultimo argomento che mi preme approfondire, per offrire ai lettori un quadro più ampio e informato possibile sul metabolismo e i suoi «nemici» più temibili: gli effetti negativi della glicemia fuori controllo. Abbiamo visto come uno dei principali obiettivi del nostro metabolismo sia mantenere costanti i livelli di glucosio nel sangue. Cosa succede se va via la corrente durante un'operazione di cardiochirurgia a cuore aperto? Ovviamente il paziente muore, è per questo che nelle moderne sale operatorie sono stati istallati gruppi di continuità. Per lo stesso principio la fisiologia umana prevede dei sistemi di regolazione in grado di mantenere costanti i livelli energetici (glucosio) nel nostro sangue. Ma cosa succede se qualcosa va storto e i nostri «salvavita» non funzionano correttamente? Può determinarsi un blocco del metabolismo e, in ultima analisi, potrebbe instaurarsi una vera e propria sindrome metabolica.[5]

Per spiegarvi come questo può avvenire conviene partire dal corretto funzionamento di un corpo sano.

Il glucosio è il cibo principale delle nostre cellule, motivo per cui il suo valore (glicemia) viene mantenuto stabile nel sangue durante il corso della giornata.[6] A farlo è la collaborazione di due ormoni, l'insulina e il glucagone.

5 *La sindrome metabolica, o sindrome da insulino resistenza, non è una singola patologia ma un insieme di fattori predisponenti a malattie come diabete, problemi cardiovascolari e al fegato, ictus. I fattori di rischio sono: un'ampia circonferenza vita (per via del surplus di grasso addominale), ipertensione arteriosa, livelli fuori scala di colesterolo, trigliceridi o glicemia. Ciò che rende questa sindrome particolarmente pericolosa è che non presenta sintomi specifici: chi ne soffre generalmente «si sente» bene, e dunque non ritiene necessario curarsi. Ecco perché va posta particolare attenzione ai fattori di rischio e, qualora se ne riscontrassero su se stessi tre o più, è indispensabile farlo presente al medico per i dovuti accertamenti.*

6 *Il valore normale della glicemia, in un soggetto sano, a digiuno, è compreso tra 70 e 99 mg/dl.*

L'insulina ha un'azione ipoglicemizzante, cioè abbassa i livelli glicemici nel sangue facilitando l'entrata del glucosio nelle cellule e favorendo l'accumulo di glucosio sotto forma di glicogeno a livello epatico.

Il glucagone al contrario è un ormone iperglicemizzante, che si attiva quando si silenzia l'insulina e rialza i valori della glicemia. Lo fa promuovendo la gliconeogenesi, cioè la produzione di glucosio a partire dalle riserve di energia, inizialmente dal glicogeno e poi dall'utilizzo di grassi e amminoacidi. Il glucagone, quindi, è il nostro migliore alleato nella ricerca di un dimagrimento, perché la sua azione *brucia i grassi in eccesso*. In un corretto bilancio energetico e glicemico è bene che insulina e glucagone siano sempre in equilibrio, favorendo un giusto senso di sazietà.

Se invece l'equilibrio tra insulina e glicemia va fuori controllo, il glucagone non può più svolgere il proprio lavoro e al suo posto entra in scena un altro attore di cui abbiamo già fatto la conoscenza: il cortisolo che, anche noto come ormone dello stress, gode di una pessima fama. Vediamo perché.

Il modo in cui ci alimentiamo oggi, come abbiamo visto, è fin troppo ricco di carboidrati e zuccheri semplici raffinati, che provocano un picco glicemico elevatissimo nel sangue. Va qui fatta una distinzione tra alimenti con alto e basso indice glicemico. L'indice glicemico misura la capacità di un alimento di innalzare la glicemia: gli alimenti ad alto indice glicemico (come pane, riso o patate) vengono assorbiti prima e il tasso di zucchero nel sangue si alza, di conseguenza, molto in fretta. Il picco glicemico così raggiunto induce una sovrapproduzione dell'insulina e quando grandi quantitativi di insulina si riversano nel sangue i valori della glicemia si abbassano troppo in fretta, determinando una ipoglicemia reattiva. Per

compensare questo brusco calo di zuccheri noi proviamo un immediato senso di fame. Avere sempre fame, anche poco dopo aver mangiato, è un segnale di allarme metabolico da non sottovalutare: indica che nel nostro organismo si è attivato un circolo vizioso della glicemia, e che solo mangiando riporteremo velocemente nella norma i livelli glicemici. Ma il nostro organismo ha anche un altro mezzo per riportare i valori del glucosio in equilibrio: il cortisolo.
Il cortisolo è l'antinfiammatorio naturale prodotto dal nostro corpo ed è un ormone iperglicemizzante ovvero, tra le altre cose, promuove l'afflusso di glucosio nel sangue. Ma mentre il glucagone lo fa bruciando le riserve energetiche accumulate nei grassi, il cortisolo brucia i nostri muscoli. Quando un eccesso di insulina (in risposta a un elevato picco glicemico che avremo provocato noi stessi con un'alimentazione troppo ricca di carboidrati e zuccheri) provoca uno stato di ipoglicemia nel sangue, il cortisolo agisce per ripristinarne i normali valori, ma a lungo andare favorirà anche l'insorgere di insulino-resistenza, infiammazione cronica, perdita di massa muscolare e accumulo di grasso. Inoltre un'iperglicemia cronica inibirà la produzione di glucagone, impedendo al nostro organismo di attingere energia dalle riserve (sempre più abbondanti) di grasso. Eccovi servita la ricetta di un sovrappeso che rischia di tracimare in obesità (con conseguenti gravi rischi per la salute).

Leptino-resistenza e tendenza al sovrappeso

Le persone in forte sovrappeso che hanno un tono muscolare estremamente ridotto o inesistente (appaiono «flaccide», pri-

ve di tonicità) spesso soffrono di leptino-resistenza. La leptina è un ormone prodotto soprattutto dal tessuto adiposo, che interagisce direttamente con il nostro cervello, e precisamente con l'ipotalamo, influenzando i livelli percepiti di sazietà.
La leptina è lo strumento principale a cui il nostro organismo affida la sua naturale tendenza a mantenere una condizione di normopeso: quando mangiamo troppo il cibo inizia a depositarsi nel nostro corpo sotto forma di grasso. Non appena questi depositi adiposi raggiungono una massa critica producono la leptina per comunicare al cervello che le scorte sono al completo e di interrompere l'assunzione di cibo. L'ipotalamo induce allora il senso di sazietà, e la nostra forma fisica è salva.
Ma la leptina funziona anche al contrario: quando le riserve di grasso stanno per esaurirsi, magari dopo un periodo di digiuno, i livelli di questo ormone scendono e sopraggiunge lo stimolo della fame.
Tuttavia se il sistema si «inceppa» sono guai: non riuscendo a percepire il senso di sazietà mangeremo senza misura e, di conseguenza, accumuleremo gradualmente scorte di grasso in eccesso, talvolta fino a raggiungere una condizione di obesità.
Cosa è successo? Si è instaurata la leptino-resistenza, una condizione per cui il tessuto adiposo, molto abbondante, produce grandi quantità di leptina a cui l'organismo sembra essersi desensibilizzato: la leptina non riesce a comunicare efficientemente con l'ipotalamo e questo non produce l'indispensabile segnale di sazietà che ci fa smettere di mangiare. Così noi ingrassiamo continuando a sentirci affamati.
Molti studi confermano che l'infiammazione cronica sistemica di basso grado, sostenuta da scelte alimentari sbagliate, dall'utilizzo eccessivo di farmaci, dalla sedentarietà e dallo stress, può provocare la leptino-resistenza.

Per mettere il nostro corpo in condizione di esprimere tutta la sua energia potenziale è indispensabile impostare una alimentazione antinfiammatoria in grado di regolare i valori di glicemia e insulina (permettendo al glucagone di svolgere le sue funzioni) e uno stile di vita che ci consenta di ridurre il grasso corporeo. Con i dovuti accorgimenti, infatti, la leptino-resistenza è una condizione totalmente reversibile e studi dimostrano che un regime di regolare attività fisica è essenziale per ristabilire il corretto funzionamento del segnale leptinico. È proprio questa la chiave del Restart metabolico.

CAPITOLO 3

Trentuno giorni per rifiorire

Se mi avete seguito fin qui avrete ormai capito che le cause del sovrappeso non sono riconducibili semplicemente all'aver mangiato troppo o a non aver fatto abbastanza attività fisica. La nostra forma fisica è il risultato di un equilibrio complesso di fattori.

Quando quell'equilibrio si spezza si determina uno stato di stress ossidativo, infiammazione sistemica e blocco metabolico che si riflettono in un generale appesantimento e ci impediscono, tra l'altro, di indossare i nostri jeans preferiti.
Se le cause sono così complesse e integrate tra loro, per risolvere il problema non basterà affidarsi a una qualsiasi dieta ipocalorica, a una sporadica sessione di meditazione o a un programma di workout. Dovremo ricorrere a una risposta *integrata*.
La forza del metodo che ho messo a punto in questi anni sta proprio in una visione complessiva, olistica, della nostra salute. In questo breve capitolo la introdurrò per sommi capi, spiegando le fasi di cui si compone, ciascuna deputata a preparare il corpo a compiere i cambiamenti necessari per indirizzarci verso il benessere e un'armonica forma fisica.
Il metodo si articola in tre fasi e dura esattamente 31 giorni:

la prima fase provocherà nel nostro organismo un reset intestinale, la seconda fase, basata sulla depurazione, punterà dritta all'obiettivo di ritrovare una pancia piatta e, al tempo stesso, di nutrire adeguatamente il corpo, la terza e ultima fase riattiverà il nostro metabolismo. Ciascuna fase si compone di un percorso che agisce su diversi livelli: alimentazione antinfiammatoria, movimento, gestione delle emozioni attraverso il respiro. A corollario del metodo c'è poi il supporto fitoterapico, a cui sarà dedicato il capitolo conclusivo del libro.
Cominciamo.

Fase 1: reset intestinale

Affaticato dai cibi pro-infiammatori, il nostro sistema digerente merita un break.

Nei primi 3 giorni metteremo a riposo il nostro apparato digerente grazie a un innovativo regime alimentare che possiamo definire una vera e propria «doccia gastro-intestinale». Affaticato dai cibi pro-infiammatori, il nostro sistema digerente merita un break. L'obiettivo è inondare le cellule del nostro organismo di principi nutritivi facilmente assimilabili e reidratarle in profondità.
Le energie risparmiate dal sistema digerente, finalmente sollevato dal peso del super lavoro che lo abbiamo costretto a compiere per lungo tempo, verranno utilizzate per iniziare un percorso di attività fisica armonico e compatibile con la ripresa di un pieno stato di salute. In questa fase vi introdurrò cioè a quella che io chiamo «passeggiata metabolica».
Idratati, ristorati e riattivati, avremo accesso a tecniche di ge-

stione delle emozioni che ci consentiranno di affrontare anche gli inneschi «emotivi» e psicologici dei processi infiammatori e del blocco metabolico.

Fase 2: depurazione

Aiutiamo il nostro corpo a completare il ciclo di depurazione dalle tossine.

Dal giorno 4 al giorno 10 siamo nella fase due. Durante questi 7 giorni reintegreremo nella nostra alimentazione i cibi solidi, che avevamo escluso nella fase uno. Dopo il benefico shock della fase 1, aiutiamo il nostro corpo a completare il ciclo di depurazione dalle tossine.
Il programma indicherà i cibi consentiti e le corrette combinazioni che ci consentiranno di nutrirci in modo adeguato ma anche gradevole, e contemporaneamente di avviare e sostenere i normali processi di depurazione e attivazione metabolica.
L'attività fisica che accompagna questa fase integrerà la passeggiata metabolica con esercizi di stretching che andranno a riattivare i muscoli ma anche la via emuntoriale del tessuto connettivo.

Fase 3: attivazione metabolica

Ci sentiremo via via più forti, energici e in salute.

Dal giorno 11 al giorno 31, grazie ai menù perfettamente bilanciati, alla scelta di alimenti funzionali e a combinazioni di

cibi in grado di spegnere gli stati infiammatori e promuovere un sano dimagrimento, progrediremo e consolideremo i progressi fatti fin dal primo giorno. Ci sentiremo via via più forti, energici e in salute e il programma si trasformerà per noi in un benefico nuovo stile di vita.
Aggiungeremo esercizi quotidiani di tonificazione muscolare ed esercizi di respirazione che dovranno diventare una consuetudine anche in futuro. Vi consiglio di considerarli una «routine di benessere» essenziale al vostro buon funzionamento.
Ciò che vi sto proponendo non è una dieta estemporanea, da affrontare come un sacrificio a cui sottoporsi pensando che ha una data di inizio e una fine. È un cambiamento generale del vostro stile di vita: nel corso di questi 31 giorni stabilirete e consoliderete delle nuove abitudini che si tradurranno, molto in fretta e con sorprendente efficacia, in risultati concreti e concretamente percepibili. Una volta che avrete sperimentato sulla vostra pelle i benefici del nuovo stile di vita a cui il metodo vi introdurrà, difficilmente tornerete indietro. Ma c'è un ma.
Le tre fasi devono essere seguite dalla 1 alla 3, per un totale di 31 giorni, senza strappi e senza interruzioni. Nel caso non vi sentiste pronti ad affrontare immediatamente il primo step del Restart metabolico, il mio consiglio è di seguire il metodo di Alice, la piccola protagonista inventata dal genio di Lewis Carroll. Fate come lei e attraversate lo specchio: seguite il metodo al contrario, iniziando dal trentunesimo giorno per risalire via via dalla fase 3 alla fase 2, per concludere il percorso con i tre giorni di reset intestinale. Al termine dei quali potrete ripristinare il corretto «senso di marcia» e ripeterete il percorso, questa volta nell'ordine originale, passando dalla fase 2 alla 3. In questo caso il percorso durerà 62 giorni anziché 31.

CAPITOLO 4

Primo pilastro: movimento e respiro

«La vita è come andare in bicicletta: se vuoi stare in equilibrio devi muoverti.»
Albert Einstein

Chi decide di iniziare una dieta di solito considera il regime alimentare a cui dovrà sottoporsi come il pilastro fondamentale del suo percorso, un percorso che – spera – lo condurrà a perdere peso e ritrovare una forma fisica più armoniosa e soddisfacente. È mia ferma convinzione, invece, che l'alimentazione da sola non basti. È essenziale dedicare pari attenzione al movimento e alla corretta gestione delle emozioni: il nostro corpo non va considerato alla stregua di una macchina brucia calorie. Il vero benessere nasce solo da una ritrovata armonia e questa si raggiunge solo considerando il nostro corpo *nel suo insieme*. Ecco perché ho scelto di iniziare a introdurvi al mio metodo passando dal grande tema del movimento, che considero a tutti gli effetti il primo pilastro del nostro percorso.
Quando siamo in sovrappeso e decidiamo di metterci a dieta le nostre aspettative sono molto alte. Immaginiamo fin dai primi giorni di poter apprezzare immediatamente risultati su ventre e cosce. Quello che più spesso accade è di ritrovarsi sciupati

nel volto, nel collo e nelle spalle, mentre i cuscinetti addominali restano perfettamente intatti. In realtà la questione non è meramente estetica, i centimetri di troppo sul giro vita infatti sono associati, come abbiamo visto, a una maggiore suscettibilità alla sindrome metabolica e a problemi come infarti, ictus, ipertensione. Come affrontare con successo questo durissimo scoglio nel dimagrimento? Per poter smaltire i cuscinetti localizzati su addome e cosce è indispensabile spegnere l'infiammazione sistemica del nostro organismo. Questo è possibile in prima battuta attraverso una alimentazione specifica (oggetto dei prossimi capitoli) a cui andremo ad affiancare un'attività fisica calibrata in modo da attingere alle riserve di grasso «incriminate». Secondo molti studiosi il picco della perdita di grasso si produce intorno al 60-65% della nostra massima frequenza cardiaca e un recentissimo studio evidenzia che intervallare un lavoro aerobico al 60% della frequenza cardiaca massima (vedi in questo capitolo il paragrafo sulla passeggiata metabolica) con esercizi anaerobici localizzati (vedi in questo capitolo le tre sequenze proposte di workout) determina una riduzione del grasso localizzato più veloce di quella ottenuta con il solo lavoro aerobico.
L'allenamento fisico previsto dal metodo del Restart metabolico è impostato in base a questi principi e prevede una pratica intercalata di lavoro aerobico e anaerobico, per consentire una tonificazione e una perdita di massa grassa più efficace e veloce. Nelle pagine che seguono approfondiremo tutto quello che occorre sapere per iniziare a muovere il nostro corpo in maniera armonica e adatta alle capacità di ciascuno, e familiarizzeremo con le tecniche più efficaci per iniziare a riequilibrare le nostre emozioni dissonanti.

L'errore più comune

Meglio dircelo subito apertamente: per ottenere risultati ci sarà bisogno di esercizio fisico quotidiano, ma senza esagerare. Gli sforzi intensi, anzi, sono sconsigliabili specialmente per chi parte da zero. Eccedere con la quantità, l'intensità e la frequenza degli allenamenti non gioverà ad un corpo poco allenato e abituato alla sedentarietà. Non dobbiamo partecipare a nessuna gara, ma d'altra parte gli studi scientifici sono concordi nell'affermare che la sedentarietà indebolisce e il movimento rende più forti.
L'obiettivo è quello di acquisire un nuovo stile di vita all'insegna del movimento e non della sedentarietà, che sia sostenibile nel quotidiano. L'attività fisica svolta con regolarità permette non solo di mantenerci nella condizione di normopeso, ma anche di prevenire disturbi e malattie, di mantenerci sani ed efficienti a lungo, di ridurre i livelli di stress quotidiano, di migliorare l'umore e l'efficienza mentale, il sonno e i tempi di reazione.
L'errore che commette qualunque neofita, spesso per troppo entusiasmo, è pretendere di passare da 0 a 100 in un solo giorno. Sapevate che gran parte delle persone che decidono di mettersi a dieta tendono a interrompere il nuovo percorso non tanto per via dei cambiamenti alimentari imposti dalla dieta o dalle eventuali restrizioni caloriche, ma per via del dolore provocato da allenamenti sbagliati?
Il primo giorno di dieta si ha motivazione da vendere, anzi di solito si risulta contagiosi al punto di influenzare positivamente anche chi ci sta intorno. Da oggi: dieta e palestra. Arriviamo fieri, tuta e scarpe nuove fiammanti, pronti per scolpire glutei e addome a ritmo di musica. Magari decidiamo di fare

da soli, senza affidarci a un personal trainer, e invece di iniziare gradualmente, avendo fatto il pieno di tutorial su internet, ci si precipita nella sala attrezzi. Va a finire che ci si fa prendere la mano e si esagera, esercizio dopo esercizio, fino allo sfinimento, nella profonda convinzione che più è meglio.
Dopo aver portato il corpo al limite delle proprie possibilità, si torna a casa con una fame da lupi. Ma ancora la determinazione è forte, quindi invece di ingurgitare la prima cosa che capita, magari mangeremo ancora meno di quanto previsto dalla dieta, apportando alcune modifiche sempre orientate verso il rigore e la restrizione.
Questo è ciò che accade il primo giorno.
Il mattino seguente, però, il risveglio porterà diffusi dolori muscolari e articolari a insorgenza ritardata (DOMS), assieme alla sensazione di essere stati investiti da un camion. I dolori sono causati da un eccesso di acido lattico prodotto dai muscoli, che il nostro organismo non era abituato a gestire.
È adesso che entra in gioco il nostro spirito di sopravvivenza, comandato dall'inconscio: il nostro cervello assocerà i dolori che sta sperimentando alla dieta e allo sport e attiverà i meccanismi «salvavita» a sua disposizione. D'ora in poi, ogni volta che manifesteremo l'intenzione di metterci a dieta o fare dello sport, ci capiteranno puntualmente degli «imprevisti» che ci impediranno di iniziare o proseguire qualsiasi nuovo percorso salutare. L'autosabotaggio è stato innescato e ci porterà all'ennesimo fallimento nel giro di poco tempo.
Il nostro obiettivo deve essere dunque quello di iniziare a muoverci esponendoci a un tipo di sforzo che saremo in grado di gestire quotidianamente, senza traumi, senza far scattare l'allarme salvavita del nostro cervello. Inizieremo perciò con un'attività in prevalenza aerobica di medio-bassa intensità e di lunga

durata che io definisco «camminata metabolica». Vedrete che metterà tutti d'accordo, dal lettore sedentario a quello allenato.

Correre o camminare per dimagrire?

Svegliarmi presto al mattino, indossare la tuta e le scarpe da ginnastica e uscire di casa a camminare è ormai diventata una routine, uno stile di vita che mi accompagna da anni. Sono sempre alla ricerca di posti immersi nella natura dove poter respirare aria pulita e percepire i profumi dei fiori e degli alberi. Guardandomi attorno noto sempre più persone che corrono, la maggior parte a livello amatoriale e alcune a livello professionale. Puntualmente quando ci avviciniamo alla primavera il numero dei *runner* aumenta e io noto persone sedentarie, goffe e appesantite che iniziano a correre dall'oggi al domani. Le riconosco subito perché spesso indossano dei k-way per sudare di più e hanno facce paonazze per lo sforzo.
Oggi siamo tutti convinti che correre sia il modo più sano e veloce di bruciare calorie e perdere peso, e crediamo fermamente che più sudiamo e più dimagriamo, ma siamo sicuri che sia corretto?
Quando ci ritroviamo paonazzi per lo sforzo e senza fiato, è il segnale che siamo passati da un esercizio aerobico a uno anaerobico, e si tratta di due tipi molto diversi di attività fisica, che andrebbero gestiti in modi differenti.
L'esercizio aerobico è di intensità relativamente bassa e di lunga durata (come una passeggiata), coinvolge numerosi gruppi muscolari che nel tempo aumentano la nostra capacità aerobica, la capillarizzazione dei tessuti e il numero dei mitocondri. Nell'esercizio aerobico l'organismo trae inizialmente

energia dalle riserve di zucchero sotto forma di glicogeno e poi, per sostenere lo sforzo, dai grassi di deposito, utilizzando sempre l'ossigeno per bruciare i substrati energetici (glucosio, glicogeno, acidi grassi).
Dopo i 90 minuti di attività aerobica consecutiva l'organismo inizia ad utilizzare anche gli amminoacidi ricavati dal catabolismo delle proteine.
L'esercizio anaerobico invece è caratterizzato da sforzi brevi ma intensi (da pochi secondi ad alcuni minuti), come per esempio gli scatti di corsa o il sollevamento pesi. L'organismo necessita di molta energia nel brevissimo tempo, energia che ottiene senza usare ossigeno e dando fondo agli zuccheri (che mettono più velocemente a disposizione la loro energia) invece dei grassi. Proprio per questo motivo – perché la nostra scorta di zuccheri non è eterna – l'allenamento anaerobico richiede momenti di riposo tra una serie di esercizi e la successiva.
Per essere pienamente in forma sarà bene praticare entrambi questi tipi di allenamento, aggiungendo esercizi di stretching per ritrovare elasticità muscolare. L'importante è procedere con gradualità e non chiedere mai al nostro corpo qualcosa che non è ancora pronto a fare.
Da un punto di vista biomeccanico la nostra struttura muscolo-scheletrica si è strutturata ed evoluta per camminare, anche a passo svelto, per lunghi tragitti e per lunghi periodi, correre per brevi tratti (per salvare la pelle!) e poi arrampicarci, saltare, nuotare e aggrapparci con uno sforzo isometrico per brevi periodi.
Da un punto di vista metabolico, quando corriamo i muscoli chiedono zuccheri e ossigeno per produrre energia. Ogni muscolo ha una piccola riserva di zuccheri pronti per essere utilizzati, che viene esaurita nel giro di pochi secondi. Immedia-

tamente dopo viene liberato glicogeno, che si trova in piccole quantità nei muscoli e in grande quantità nel fegato. Dopo 70 metri di corsa si verifica un aumento veloce della frequenza cardiaca e della frequenza respiratoria: in sostanza entriamo in affanno e diventiamo rossi in viso, se non siamo allenati. A questo punto i muscoli richiedono molta energia per soddisfare il grande sforzo muscolare, che puntualmente arriva sotto forma di glucosio ma non abbastanza in fretta. I muscoli allora attivano il metabolismo anaerobico, che libera energia e acido lattico. Quando i livelli di acido lattico diventano troppo elevati proviamo sensazioni di «blocco», una pesantezza alle gambe via via sempre più intensa. L'innalzamento della temperatura corporea viene compensato da una grande sudorazione e noi, stanchi e molto sudati, siamo convinti di aver bruciato grasso e di essere dimagriti. La triste realtà è un'altra: nel tentativo di compensare l'acidosi sistemica il nostro organismo si troverà in carenza di magnesio e acqua cellulare, portandoci verso una condizione di rallentamento metabolico.

Spesso si inizia a correre per dimagrire, convinti che sia l'attività sportiva che ci darà risultati più in fretta, ma se siamo in forte sovrappeso o in stato di obesità la corsa può comportare grandi rischi per la nostra salute, di tipo cardiovascolare, articolare, posturale e persino di invecchiamento precoce del nostro organismo. Sottoposto a uno sforzo intenso per cui non è preparato, produrrà grandi quantità di acido lattico e radicali liberi, talvolta più di quante riesca a gestirne. Questo squilibrio determinerà processi degenerativi e invecchiamento precoce non solo della pelle ma anche degli organi interni.

La passeggiata aerobica metabolica, per contro, è un'attività a bassa intensità con una frequenza cardiaca costante. Aiuta a prevenire molte malattie e rallenta il naturale processo di invecchiamento. Il tipo di combustibile che i nostri muscoli utilizzeranno per compiere lo sforzo sarà inizialmente lo zucchero di riserva (glicogeno) e in un secondo momento passeranno ai grassi di deposito. Ne risulteranno un miglioramento del tono muscolare e un assottigliamento della massa grassa.

La passeggiata metabolica

Vinciamo la pigrizia, indossiamo delle scarpe da ginnastica comode, una tuta confortevole e usciamo. La frequenza cardiaca e respiratoria inizierà ad aumentare gradualmente, adattandosi al livello dello sforzo con l'obiettivo di approvvigionare i muscoli di tutto il corpo che chiedono zucchero e ossigeno.
Chi era fermo da tanto tempo troverà i primi minuti più difficili da affrontare. Si potrebbe avvertire una leggera sensazione di prurito all'apice del cranio o diffusa su tutto il corpo. Non è grave: stanno iniziando la fase di capillarizzazione (i capillari periferici diventano pervi) e la sudorazione, e il nostro organismo, che aveva depositato un gran numero di tossine alla base delle ghiandole sudoripare in attesa di una seduta di ginnastica per liberarsene, finalmente può espellerle.
Si potrebbero percepire anche dei piccoli fastidi alla pianta del piede; in questo caso bisognerà rallentare il ritmo e fare dello stretching specifico. Quando non ci muoviamo per molto tempo, infatti, le tossine depositate nel sistema connettivale iniziano a muoversi per essere eliminate. Questo potrebbe innescare processi infiammatori, fino a sfociare, nel piede, in una fascite plantare.
Superati i primi minuti l'andatura diventerà costante, il cuore

si stabilizzerà e i polmoni forniranno tutto l'ossigeno richiesto. Maggiore sarà la velocità del nostro passo, maggiore sarà la richiesta di ossigeno dei mitocondri, maggiore sarà la frequenza cardiaca.
Durante i primi 20 minuti useremo lo zucchero di riserva sotto forma di glicogeno, nei successivi 20 minuti inizierà la magia e il corpo brucerà il *grasso*.
Per bruciare i depositi adiposi in eccesso serve *tempo* e occorre misurare la frequenza cardiaca istantanea. Esatto: non contano tanto i chilometri percorsi, ma la frequenza cardiaca raggiunta all'interno di un arco di tempo variabile in base alla disponibilità di ciascuno. La frequenza cardiaca deve essere il 60% della frequenza cardiaca teorica massima. Come calcolarla? La formula è questa:

per gli uomini 220 / per le donne 226 [numero fisso] − età in anni = frequenza cardiaca massima (FC max)

FC max × 65% = frequenza cardiaca aerobica

Se riusciamo a camminare al 60% della nostra frequenza cardiaca massima per un intervallo di tempo che va dai 40 ai 90 minuti otterremo tantissimi benefici per la nostra salute e inizieremo a bruciare le nostre riserve di grasso.

Il modo più semplice per misurare la nostra frequenza cardiaca e stabilire la velocità di crociera durante la passeggiata metabolica è ricorrere a un cardiofrequenzimetro. In commercio se ne trovano di diversi tipi, per tutte le tasche. Il cardiofrequenzimetro ti consentirà di accertarti costantemente

di essere nella zona «brucia grassi» (65%-75% della FC max). Esiste un altro metodo, più pratico, meno preciso, ma altrettanto efficace: occorre misurare la nostra frequenza cardiaca contando i battiti per 6", ponendo indice e medio a livello dell'arteria radiale del polso, oppure dell'arteria carotidea del collo sul lato sinistro, e moltiplicando per 10 (es. 12 pulsazioni in 6" per 10 danno 120 battiti per minuto).
In questo modo individueremo il nostro numero di battiti cardiaci indispensabili per individuare la fase aerobica. La prima misurazione andrà effettuata dopo 20 minuti di passeggiata metabolica. Ma converrà monitorare le pulsazioni più volte durante la passeggiata.

I 10 benefici della passeggiata metabolica:

1 › Forniamo al nostro metabolismo la chiave di accesso per i depositi di grasso e la conversione in energia. Il metabolismo non va mai in carenza di ossigeno, il che si traduce in niente acido lattico e niente dolori, consentendoci di ripetere l'esercizio ogni giorno.

2 › L'esercizio costante aumenta anche il numero dei mitocondri: stiamo aumentando la cilindrata della nostra autovettura. Gradualmente riusciremo a camminare a un passo più spedito mantenendo invariata la frequenza cardiaca, e bruceremo più calorie anche a riposo.

3 › Preserviamo la salute del cuore e di tutto il sistema circolatorio arterioso.

4 › Il movimento muscolare ritmico effettua un vero e

proprio massaggio dal potere tonificante per le vene e le valvole a coda di rondine. Diremo addio alla sensazione di pesantezza alle gambe e di gonfiore tipici soprattutto della seconda metà della giornata.

5 › Migliora il metabolismo del glucosio, tendono a normalizzarsi i livelli di trigliceridi, colesterolo e si contrasta il diabete di tipo 2.

6 › Migliora la motilità gastro-intestinale e si risolvono problematiche di stipsi.

7 › Si favorisce la deposizione dei sali di calcio nelle ossa prevenendo l'osteoporosi.

8 › Migliora il tono dell'umore: 40 minuti di camminata in fascia aerobica sostengono la produzione di endorfine.

9 › Migliora la funzione tiroidea grazie alla riduzione dell'ormone dello stress.

10 › Si normalizza il ciclo mestruale. Quando conduciamo una vita sedentaria e siamo costantemente sotto stress, parte del progesterone si converte in cortisolo, determinando una dominanza estrogenica con sintomi come la dismenorrea e il ciclo doloroso. Camminando col tempo tende a equilibrarsi l'asse ipotalamo-ipofisi-ovarico.

L'allenamento anaerobico

Ossa e muscoli sono il nostro capitale per un futuro in buona salute. In genere si pensa che lo scheletro svolga esclusivamente funzioni di sostegno del corpo umano e di protezione degli organi interni; in pochi menzionano la sua funzione tampone. Il tessuto osseo è infatti il più grande donatore di

ioni basici di cui il nostro corpo dispone per far fronte all'esigenza di neutralizzare le tossine acide. Come ricorderete dal capitolo precedente, gli alimenti acidi sono pro-infiammatori e alimentano lo stress ossidativo che indebolisce le ossa.
Raggiungiamo il picco di massa ossea attorno ai vent'anni. A quell'età la densità e la dimensione dell'osso raggiungono l'apice e smettono di accrescere. Oggi è sempre più frequente incontrare donne giovani, al di sotto dei cinquant'anni, che soffrono di osteopenia e osteoporosi precocemente. Il problema, come sempre, deriva da uno stile di vita scorretto: se trascuriamo il movimento quotidiano tenderemo a perdere massa muscolare, e si indebolirà anche la struttura ossea, con gravi conseguenze. Allenare la forza muscolare e quindi preservare una solida struttura ossea è essenziale non solo per il nostro benessere quotidiano, ma anche e soprattutto per quello futuro.
La legge di Wolff, sviluppata nell'Ottocento dall'anatomista tedesco Julius Wolff, afferma che l'osso si adatta in continuazione al variare dei carichi e delle sollecitazioni statiche e dinamiche, rimodellandosi in modo da rispondere alle situazioni funzionali e impegnando la minima quantità necessaria di tessuto osseo. In altre parole l'osso ha bisogno di stimoli per mantenere forma e densità. Chi ha avuto la sfortuna di rompersi un osso lo sa bene: a un arto bastano poche settimane di immobilità per perdere quasi la metà del proprio volume e tono muscolare.
È stato dimostrato che l'allenamento di tipo anaerobico e isometrico aumenta la forza e la potenza muscolare favorendo il tono, la sincronizzazione e il reclutamento di motoneuroni, rafforzando la struttura ossea e svolgendo quindi un ruolo importante nella prevenzione dell'osteoporosi.

IL MIX BRUCIA GRASSI

Gli ultimi a dimagrire sono il giro vita e i glutei, ovvero le zone di grasso localizzato che diventano il deposito privilegiato dei lipidi in eccesso. Molti studi confermano che questa tendenza si può invertire con un allenamento fisico mirato: associando 60 minuti di passeggiata aerobica metabolica al 60% della frequenza cardiaca massima a un allenamento anaerobico (75%-85% della FC max) intenso a corpo libero, purché distanziati tra loro di almeno 6 ore, si otterranno risultati nettamente migliori sul giro vita.

Quando parliamo di allenamento anaerobico solitamente pensiamo a un programma a base di sforzi intensi e di breve durata, mirato ad accrescere la nostra forza muscolare: sollevamento pesi, sprint, scatti di corsa, salti. Tutte attività indicate per persone giovani e allenate, che abbiano l'obiettivo di potenziare le loro performance.

Il metodo del Restart metabolico, tuttavia, si rivolge a chi, fuori forma e poco allenato, si propone di avviarsi sulla strada di un ritrovato benessere fisico, magari dopo un lungo periodo di sedentarietà. Nei primi quattro giorni del restart, infatti, la passeggiata metabolica è il solo tipo di attività fisica consigliata: un moderato esercizio aerobico che otterrà, con gradualità, il risultato di prepararvi allo step successivo, ovvero un programma di allenamento anaerobico «soft», che può essere praticato a casa o in un parco. È quello che definisco il «programma di tonificazione metabolica» e nasce dall'esigenza di tonificare la muscolatura, rinforzare tendini, ossa, articolazioni e dare una svolta al metabolismo. Si tratta di tre sequenze di esercizi a cor-

po libero – Total Body, Addome e Glutei – che andranno eseguite cinque giorni su sette, senza l'ausilio di attrezzature.
Vediamole nello specifico.

Tonificazione muscolare metabolica Total Body

È una sequenza di esercizi di rafforzamento dei gruppi muscolari più grandi, come gambe, spalle e braccia.
Definiti «fasici», questi gruppi sono abituati a sopportare movimenti ritmici, con fasi di lavoro e di riposo alternate. Per meglio sostenere la tonificazione nel rispetto degli equilibri fisiologici del corpo, la sequenza sarà scandita con un numero crescente di ripetizioni e con dei recuperi muscolari attivi.
Per consentire il recupero faremo lavorare alternativamente gruppi muscolari distanti e intervalleremo con il lavoro su muscoli tonici, ovvero quei muscoli che sono fisiologicamente sempre sotto sollecitazione (come l'addome, coinvolto nella contrazione praticamente a ogni respiro, sia nella fase di espirazione che di inspirazione).
Con questa tipologia di circuito favoriremo la tonificazione muscolare, l'aumento dei mitocondri e provocheremo un'accelerazione del dimagrimento localizzato.
(Per la scheda completa vedi p. 85-94)

Tonificazione muscolare metabolica Addome

È una sequenza di esercizi di rafforzamento del *core*, ovvero il centro funzionale muscolare del nostro corpo. Gli addominali

fanno parte di quei gruppi muscolari detti tonici, ovvero quelli che contraiamo in maniera continua durante tutta la giornata. Per mantenerci in equilibrio e avere la corretta postura è essenziale avere addominali tonici; spesso i disturbi a carico della colonna vertebrale sono dovuti a un mancato controllo dei muscoli del nostro addome.
Il workout prevede una alternanza di allenamento su muscoli fasici (quadricipiti) e tonici o posturali (addominali), in modo da riposare gli uni e gli altri durante l'allenamento. Ricordate comunque che i muscoli tonici sono abituati a lavorare in modalità endurance, quindi necessitano di meno riposo.
(Per la scheda completa vedi p. 95-101)

Tonificazione muscolare metabolica Glutei

Offerta speciale, prendi 2 paghi 1. Attraverso l'allenamento specifico sui glutei otterremo due grandi benefici: la tonificazione generata dall'esecuzione di questa scheda infatti non solo ci regalerà una forma esteticamente apprezzabile (lotta attiva alla forza di gravità) ma ci offrirà benefici posturali che proteggeranno il nostro sistema muscolo-scheletrico da eventuali traumi e disturbi. Considerate questo workout come un investimento multiplo: oltre ai risultati immediati metterete da parte un capitale prezioso per gli anni a venire.
(Per la scheda completa vedi p. 102-107)

Occhio alla postura

Camminare è naturale per l'uomo, è la seconda forma di lo-

comozione che il bambino impara, dopo il gattonare. Quindi perché dovrei spiegare come camminare? Lo sapete fare già. In realtà quando cominciamo un determinato tipo di attività fisica, dalle più semplici a quelle più complesse, non aver ben presente la postura corretta da mantenere durante l'esercizio fisico espone ad infortuni, comparsa di dolori e all'accentuarsi di atteggiamenti e problemi posturali.
Il seme si sviluppa a partire dalle radici. Anche per spiegare la corretta postura per la camminata partiremo dalle vostre radici, ovvero i piedi. L'appoggio plantare deve essere ben equilibrato. Ogni passo inizia appoggiando il tallone, gradualmente la parte esterna, fino a coinvolgere l'avampiede, per concludere infine con la spinta dell'alluce.
Questa tecnica di rullata del piede, se eseguita correttamente e con consapevolezza, determina un vero e proprio massaggio per il sistema vascolare periferico dell'arto inferiore, sia per il sistema arterioso che per quello venoso. In questo modo oltre al lavoro muscolare propriamente detto si tonifica anche la muscolatura liscia che circonda le vene e di conseguenza otterremo benefici anche sulle valvole di non ritorno. Noterete come utilizzare questa tecnica di camminata risolverà quel senso di pesantezza alle gambe talvolta accompagnato da gonfiore alle caviglie. Per camminare in maniera corretta è sufficiente porre attenzione ai piedi? In realtà no. Occorre impegnare anche altri distretti muscolari: ricordate di mantenere la colonna vertebrale elastica, evitate atteggiamenti cifotici che chiudono il torace non permettendo una buona respirazione. Braccia libere di oscillare e assecondare il movimento del tronco, l'addome attivo e morbido allo stesso tempo. Tutto questo, migliorerà la nostra respirazione: inspiriamo e espiriamo sempre con il naso. Semplice, no?

Lo stretching

Il nostro corpo mantiene il suo stato di equilibrio e salute attraverso il lavoro degli organi emuntori. Oggi sappiamo che esistono anche altri sistemi che contribuiscono a mantenere il nostro organismo pulito dalle tossine. Abbiamo scoperto infatti che il sistema connettivo non ha solo la funzione di collegamento delle varie parti del nostro corpo, come muscoli, ossa e organi, ma costituisce un «magazzino» per depositare le tossine fino a quando non vengono veicolate in un circuito in grado di trasportarle verso le zone di smaltimento principali. Una vita sedentaria, ma anche un abbigliamento non adeguato (molto stretto e di una taglia sbagliata) blocca la possibilità del nostro organismo di veicolare efficacemente le tossine. Moltissime discipline orientali, dallo yoga al tai chi, tramandano delle sequenze di posizioni e movimenti che aiutano questa naturale funzione. La loro traduzione moderna è la pratica dello stretching, e i benefici derivanti dalla sua esecuzione quotidiana sono numerosi e di grande rilevanza. Vanno dal recupero dell'elasticità dei muscoli al benessere sistemico derivante appunto dallo «strizzare» i tessuti:

〉 consente di recuperare l'elasticità dei muscoli dopo uno sforzo fisico e ci prepara ai nuovi allenamenti liberandoci da dolori, crampi e sensazioni di fastidio.
〉 corregge i difetti posturali. Entrare nelle posizioni di stretching con calma, consapevolezza e attenzione ci consente senza fretta di evidenziare asimmetrie e problematiche di assetto.
〉 strizza letteralmente il nostro sistema connettivale e consente così alle tossine di essere smaltite. Non è infrequente

osservare come il sudore assuma un odore più intenso durante una pratica di stretching, e dopo una sessione percepiamo lo stimolo di andare in bagno per urinare con più frequenza. Consente di equilibrare l'azione tra muscoli agonisti e antagonisti, bilanciando il nostro corpo dal punto di vista biomeccanico, migliorando complessivamente la postura, rendendo i movimenti bilanciati e armoniosi.

› migliora il lavoro dei muscoli paravertebrali. Alcune posizioni di stretching infatti consentono di aumentare la distanza intravertebrale e migliorare così la salute della schiena.

› implica attenzione alla respirazione. In alcune fasi di stretching potremmo avvertire una forte tensione, quasi una sensazione dolorosa nella fase di allungamento di un determinato muscolo. Sarà sorprendente osservare che se si coordina l'allungamento muscolare con la respirazione, le tensioni si sciolgono più facilmente.

› implica grande concentrazione e presenza a se stessi. Il lavoro di stretching infatti se ben eseguito consente di acquietare la mente e ripulirla dai pensieri invasivi.

› allena la capacità di ascolto del proprio corpo. Ogni muscolo d'incanto sarà allineato, rilassato e tonico, ogni respiro rimetterà i pezzi del puzzle al posto giusto senza dolori e tensioni. Ecco il vero equilibrio psicofisico.

Per tutti questi motivi, il percorso del Restart metabolico prevede la pratica quotidiana di una sequenza di stretching appositamente studiata, che andrà eseguita per l'intera durata del programma.

(Per la scheda completa vedi p. 108-114)

Calendario completo degli allenamenti

PASSEGGIATA METABOLICA (esercizio aerobico)

andrà eseguita per 40-90 minuti al giorno, quotidianamente, nei giorni 1-4 del programma. Successivamente andrà eseguita il più spesso possibile.

TONIFICAZIONE MUSCOLARE METABOLICA (esercizio anaerobico)

〉 ***WORKOUT TOTAL BODY:***
andrà eseguito nei giorni dispari del programma a partire dal giorno 5.
GIORNI 5-7-9-11-13-15-17-19-21-23-25-27-29-31
Le altre 2 sequenze, per gruppi muscolari specifici, andranno eseguite nei giorni pari del programma a partire dal giorno 6, alternandole tra loro.

〉 ***WORKOUT ADDOME:***
GIORNI 6-10-14-18-22-26-30

〉 ***WORKOUT GLUTEI:***
GIORNI 8-12-16-20-24-28

Nota bene: chi è molto fuori forma continuerà con la passeggiata metabolica invece di passare ai workout di tonificazione, che inizierà solo quando si sentirà pronto per lo sforzo. Chi è ben allenato può affiancare i workout alla passeggiata, distanziando di qualche ora i due esercizi.

〉 ***STRETCHING***
andrà eseguito possibilmente ogni giorno per tutta la durata del programma.

N.B. Alla fine di questo capitolo troverete le schede complete dei circuiti anaerobici e della sequenza di stretching prevista dal programma.

Lo stress

Tutto, fuori e dentro di noi, vive in funzione di un equilibrio binario: giorno e notte si alternano e così si alternano i nostri cicli di veglia e di sonno. Il respiro si compone di una fase di inspirazione e una di espirazione. Il cuore nel nostro petto si contrae e si rilassa. Anche il nostro sistema nervoso autonomo – quello che regola le funzioni degli organi interni (come cuore, stomaco e intestino) e di alcuni muscoli – si basa su un'alternanza, la suddivisione di compiti tra sistema simpatico e parasimpatico che, in generale, esercitano un effetto opposto: il sistema simpatico interviene nelle situazioni di emergenza, mettendo in atto quelle reazioni istintive che vengono dette «fuggi o combatti», mentre il parasimpatico sovrintende ai momenti in cui abbiamo bisogno di «rallentare». Semplificando un po', potremmo dire che tutte le fasi attive del nostro quotidiano, come la contrazione, la veglia, la concentrazione, sono governate dal sistema nervoso simpatico. Mentre tutte le funzioni di rilassamento e di riposo sono governate dal sistema parasimpatico. Posto in una situazione di pericolo, l'organismo attiva il sistema simpatico e noi entriamo in una modalità di allarme che induce un aumento di frequenza cardiaca e pressione arteriosa e mobilita i minerali dalle articolazioni, gli amminoacidi dai muscoli e gli zuccheri di riserva presenti nel corpo sotto forma di glicogeno, traducendoli in glucosio. Queste trasformazioni biochimiche consentono all'individuo di correre più velocemente e attingere – per breve tempo – a una insospettabile riserva energetica. Ma una volta che il pericolo è scampato, lo sforzo sostenuto per attivare il nostro «sistema di emergenza» richiede una fase di riposo (affidata al siste-

ma parasimpatico) che consenta al metabolismo di tornare in uno stato di equilibrio.
Tutto funziona perfettamente quando il sistema simpatico e parasimpatico sono in equilibrio ma, in una condizione di stress cronico, il nostro sistema attiverà una serie di meccanismi che ci porteranno in uno stato definito simpaticotonia, uno stato di iperattivazione continua e prolungata che si ripercuote in modo negativo sul nostro metabolismo. Infatti se l'attivazione simpaticotonica non è seguita da uno sforzo fisico effettivo – una corsa, uno scatto – ma viene generata e frustrata da una situazione stressogena a cui non possiamo reagire, accade che a causa dell'iperattivazione del cortisolo intervengono un rallentamento della tiroide e un conseguente aumento della produzione di grasso, a scapito della massa magra. In pratica, ingrassiamo.
Nessuna dieta è efficace se non impariamo a equilibrare il sistema simpatico e parasimpatico. Per ridurre lo stress abbiamo bisogno di attivare una strategia coordinata di comportamenti in grado di abbassare il tono del sistema simpatico e riportarlo in equilibrio con quello parasimpatico. Esistono molte e diversificate tecniche – tutte efficaci – in grado di raggiungere questo obiettivo, dalla psicoterapia all'ipnosi, dalle tecniche meditative e di controllo del respiro fino all'esercizio aerobico. Nel percorso del Restart metabolico ci concentreremo esclusivamente sulle tecniche di respirazione e sull'esercizio aerobico.
L'elemento chiave, per ottenere benefici costanti, è la costanza. Equilibrio, lucidità e benessere saranno il premio per aver eseguito il programma in modo corretto. Attività sporadiche offriranno solo un sollievo momentaneo.

La respirazione diaframmatica circolare

Il respiro è una delle funzioni più misteriose e potenti del nostro corpo. Tutte le tecniche meditative orientali si basano sul controllo del respiro e non c'è tradizione e disciplina yoga che non contempli la respirazione come passo iniziale della pratica. Il respiro è l'unica funzione vegetativa che può essere alterata dalla coscienza. Possiamo decidere di trattenere volontariamente il respiro o di accelerare la nostra respirazione, ma non possiamo fare altrettanto con il cuore. D'altra parte respiriamo senza pensarci e anche durante il sonno il diaframma continua ad abbassarsi e la cassa toracica a sollevarsi, consentendo ai polmoni di incamerare aria. Questo vuol dire che la respirazione è comandata da un centro nervoso. Quindi il cervello comanda il respiro ma allo stesso tempo il respiro influenza il cervello.
La respirazione infine è in grado di influenzare, tramite il sistema neurovegetativo, sia il ritmo cardiaco sia la pressione arteriosa.
La respirazione diaframmatica circolare è una tecnica particolare di respiro «consapevole» che ha effetti calmanti e regola lo stress – e quindi i livelli di cortisolo, adrenalina e noradrenalina – con importanti benefici sulla salute. L'obiettivo è riportare il sistema nervoso autonomo in equilibrio, riducendo l'attività del sistema simpatico e stimolando il parasimpatico attraverso l'azione ritmica del nervo vago.
È una tecnica particolarmente indicata per i soggetti ansiosi, nervosi e per chi soffre di attacchi di panico.
Il percorso del Restart metabolico prevede di eseguire la respirazione diaframmatica circolare ogni sera, due ore dopo cena e prima di andare a dormire, per disinnescare lo stato di allar-

me e preparare il corpo al sonno. Dormire bene è essenziale perché facilita la depurazione del corpo e i processi di lipolisi, accelerando i processi di dimagrimento.
(Per la scheda completa vedi p. 115-116)

CHI DORME NON PIGLIA GRASSI

La qualità del sonno incide sul metabolismo, infatti chi fatica ad addormentarsi, soffre di risvegli notturni, sonno non ristoratore e insonnia registra un calo importante dei livelli di leptina, con conseguente aumento della fame.
Per tenere costanti i livelli di leptina è indispensabile riuscire a riposare da un minimo di sei a un massimo di otto ore per notte.

ISTRUZIONI PRIMA DEL WORKOUT

- Munitevi di un tappetino per gli esercizi a terra e indossate abiti e scarpe da ginnastica comodi.
- Espirate sempre durante la fase di contrazione del muscolo, per scongiurare un eccessivo aumento della pressione arteriosa.
- Svolgete gli esercizi lentamente e con cura, controllando i movimenti sia nella fase di contrazione che in quella di rilassamento.
- Controllate sempre la postura: una postura sbagliata può causare problemi alla colonna e alle articolazioni.
- Allenarsi è importante, ma lo è ancor di più rispettare il proprio corpo: ascoltatelo e non spingetelo mai oltre i vostri limiti.
- Potete decidere quante volte ripetere le singole sequenze e iniziare con un minimo di 5 esecuzioni per ciascun esercizio. Non andate mai oltre un massimo di 12 esecuzioni per esercizio.
- Per eseguire correttamente il workout attenetevi scrupolosamente alle indicazioni che fornirò per ogni esercizio. Potete anche consultare il mio canale gratuito YouTube «Fitoterapia, nutrizione, sport Dott. De Mari»: cliccando sul nome del workout troverete il video di allenamento.

A › *WORKOUT DI TONIFICAZIONE MUSCOLARE METABOLICA TOTAL BODY*

Giorni di esecuzione

5-7-9-11-13-15-17-19-21-23-25-27-29-31

1

QUADRICIPITI FEMORALI (SQUAT)

In posizione eretta, divaricate le gambe in modo che i piedi siano in linea con le spalle, ruotate le punte dei piedi verso l'esterno «come camminerebbe un papero», le braccia possono essere stese lungo i fianchi o piegate in avanti con gli avambracci sempre in linea con le spalle. Mantenete la schiena dritta, il petto in fuori, il viso guarda in avanti. Piegate le ginocchia e abbassate le cosce fino a portarle parallele al pavimento. Risalite lentamente facendo attenzione a tenere la schiena eretta, non inarcata, e a non sporgere con le ginocchia oltre la punta del piede. Ripetete l'esercizio da 5 a 12 volte, espirando quando salite e inspirando quando scendete.

2

PETTORALI (PIEGAMENTI O PUSH-UP)

Sdraiatevi sul tappetino pancia a terra, posizionate le mani parallele all'altezza dei muscoli pettorali, con un'apertura pari o superiore a quella delle spalle. Mantenete le gambe leggermente divaricate e la schiena dritta. Spostate il peso del busto un poco in avanti e sollevate lentamente il corpo spingendo con le braccia fino a distenderle quasi completamente e poi tornate con il busto e il viso a sfiorare il pavimento, senza mai toccare terra. Durante l'intero movimento cercate di mantenere sempre il corpo in tensione, specialmente il busto e i glutei. Durante la discesa gli avambracci sono perpendicolari al pavimento, i gomiti devono rimanere più bassi delle spalle e fate ben attenzione a non inarcare la schiena. Busto e addome arrivano a terra insieme.
Se l'esercizio risulta troppo complicato appoggiate le ginocchia anziché la punta dei piedi, oppure divaricate un po' di più le gambe. Entrambe queste tecniche faciliteranno il movimento. Ripetete l'esercizio da 5 a 12 volte, espirando quando salite ed inspirando quando scendete.

3

DORSALI

Si parte dalla posizione eretta, gambe divaricate in modo che i piedi siano in linea con le spalle, le ginocchia sono lievemente flesse. Inclinate il busto in avanti di 45 gradi, allineate il rachide cervicale, distendete le braccia verso il pavimento, con i palmi rivolti l'uno verso l'altro. Alzate entrambe le braccia con un movimento simile a quello della battuta d'ala di un gabbiano, stando ben attenti che nel risalire il braccio non superi l'articolazione della spalla. Ripetete l'esercizio da 5 a 12 volte, espirando quando salite e inspirando quando scendete.

4

QUADRICIPITI FEMORALI ISOMETRICI (WALL SIT)

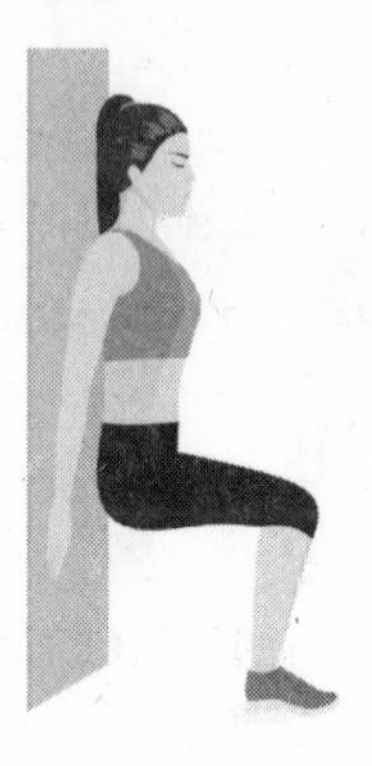

Sistematevi spalle al muro in posizione seduta, schiena completamente adesa alla parete, piedi paralleli, gambe divaricate in linea con le spalle e ginocchia flesse a 90 gradi. Stabilizzatevi e mantenete la posizione da 5 a 12 secondi. Pur essendo all'apparenza di facile esecuzione, in realtà mantenere la posizione è più difficile di quanto si creda, soprattutto per un principiante.

5

QUADRICIPITI FEMORALI A PARETE (SQUAT AL MURO)

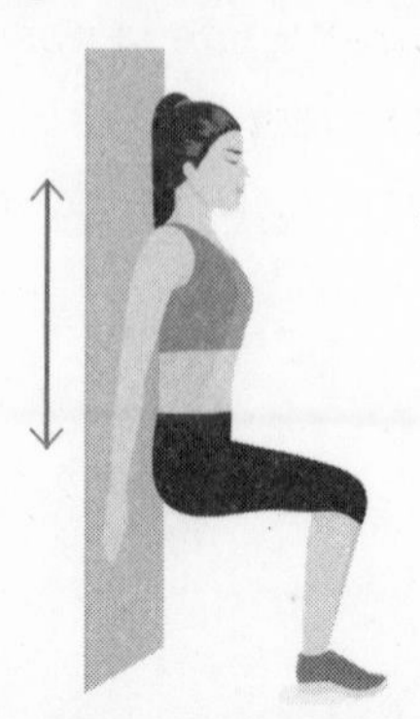

Dalla posizione precedente, spostate il peso del corpo sui talloni e, sfruttando la spinta dei quadricipiti femorali, muovete la schiena su e giù come per eseguire uno squat. Cercate di non staccare la schiena dal muro e, in fase ascendente, non staccate le punte dei piedi o i talloni da terra. Questo esercizio ci consente di effettuare uno squat senza alcun rischio per la colonna vertebrale. Ripetetelo da 5 a 12 volte, espirando quando salite e inspirando quando scendete.

6

POLPACCI

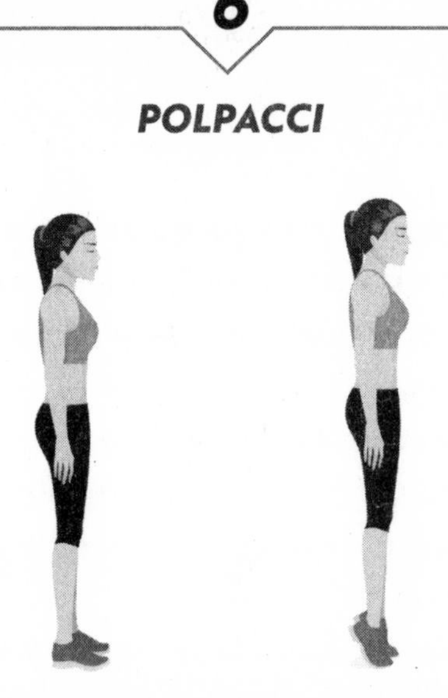

Dalla posizione eretta, piedi uniti, stabilizzate il peso al centro, salite sulle punte, mantenete la posizione in isometria per qualche secondo e discendete.
Svolgete questo movimento da 5 a 12 volte.

7

TRICIPITI ALLA SEDIA (BENCH DIPS)

Procuratevi una sedia o una panca che vi servirà da appoggio e posizionatela alle vostre spalle. Appoggiate i palmi delle mani sul bordo della seduta e stendete le gambe davanti a voi, tenendole piegate a 90 gradi. Da questa posizione flettete le braccia e scendete con il bacino verso terra fino a che le braccia non faranno un angolo di 90 gradi, poi distendetele nuovamente. Non inarcate la schiena e non infossate la testa nelle spalle quando scendete.
Un esercizio facile e utilissimo per contrastare l'antiestetico rilassamento del tessuto muscolare sotto le braccia. Ripetetelo da 5 a 12 volte, espirando quando salite e inspirando quando scendete.

8

ADDOMINALI IN PIEDI A CORPO LIBERO

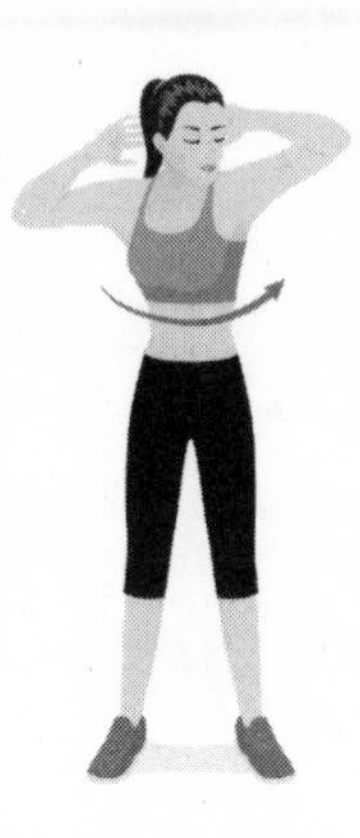

In posizione eretta, divaricate i piedi alla larghezza delle spalle con le ginocchia lievemente flesse. Intrecciate le dita, ponete i palmi delle mani dietro la nuca e flettete il busto leggermente in avanti. Tenendo ferma la testa, ruotate il tronco prima a destra e poi a sinistra. Questo esercizio è ottimo per snellire il punto vita. Ripetetelo dalle 5 alle 12 volte.

9

ADDOMINALI (CRUNCH)

Sdraiatevi sulla schiena, le piante dei piedi poggiano comodamente a terra, le ginocchia sono piegate, le braccia sono stese lungo i fianchi con le mani che sfiorano le cosce, gli occhi fissi sul soffitto. Alzate le spalle e il busto staccandoli da terra anche poco (per un massimo di 15 centimetri, non di più). Anche le braccia, rigide, accompagnano il movimento in modo che le dita superino le ginocchia. Fate attenzione a non piegare il mento sul petto. Tornate lentamente alla posizione di partenza. Ripetete l'esercizio dalle 5 alle 12 volte, espirando quando salite e inspirando quando scendete.

ADDOME BASSO

Stendetevi supini sul tappetino, ponete le mani al di sotto del coccige per proteggere le vertebre durante l'esecuzione del movimento. Tirate su testa e spalle contemporaneamente, piegate le gambe a 90 gradi rispetto al pavimento e, in base al vostro grado di allenamento, fate scendere gli arti inferiori uniti tra loro con le ginocchia più o meno piegate, e risalite su. Cercate di stendere sempre di più le gambe, man mano che progredirete nel vostro livello di allenamento.
Un livello ancora più avanzato nell'esecuzione dell'esercizio prevede la possibilità di tirare su il sacro nella fase in cui le gambe sono più vicine al tronco.

Ripetete l'esercizio da 5 a 12 volte, espirando quando salite e inspirando quando scendete.

LOMBARI A TERRA

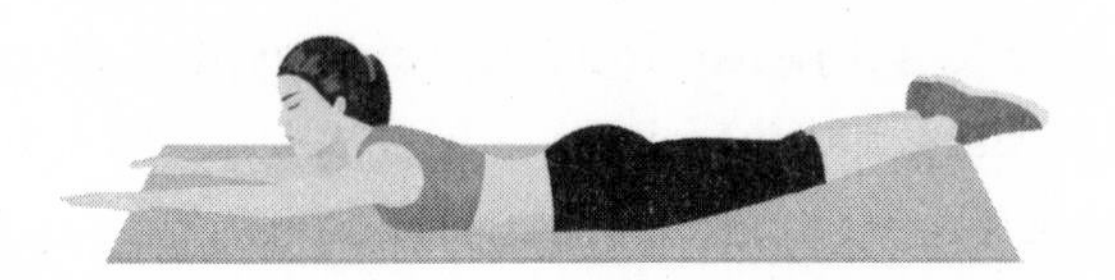

Stendetevi sul tappetino in posizione prona, allineate la colonna vertebrale, distendete braccia e gambe allungandovi il più possibile. Espirando staccate contemporaneamente da terra gambe e braccia portandole verso l'alto, inspirando ridiscendete. È molto importante che prestiate grande attenzione a mantenere il collo perfettamente allineato e allungato durante l'intera esecuzione dell'esercizio, senza infossarlo nelle spalle o inarcarlo troppo.
Questo esercizio è molto utile per rinforzare la zona lombare, ottimo per chi soffre di schiena. Ripetetelo da 5 a 12 volte, espirando quando salite e inspirando quando scendete.

PLANK

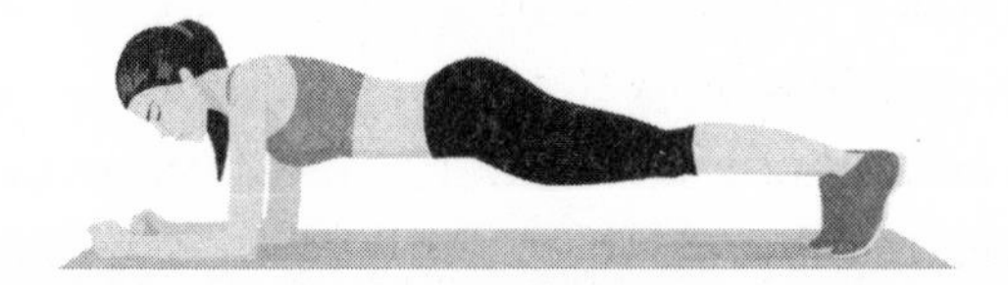

Mettetevi in ginocchio sul tappetino con i gomiti a terra, piegati a 90 gradi e allineati con le spalle. Portate indietro le gambe tese appoggiando i piedi sugli alluci e sollevate il bacino facendo attenzione a mantenere la schiena dritta e parallela al pavimento. L'esercizio è ben eseguito se il corpo è ben allineato dalla testa ai talloni come fosse un bastone. Mantenete la posizione dai 5 ai 12 secondi. Respirate con regolarità. Non inarcate la schiena ma mantenete la posizione attraverso la contrazione dei glutei e degli addominali.
Il plank è tra gli esercizi considerati più faticosi, ma è sicuramente uno dei più completi perché fa lavorare quasi tutti i muscoli del corpo.

13

GLUTEI CON SLANCI POSTERIORI A GAMBA TESA

Dalla posizione di quadrupedia sul tappetino, slanciate la gamba destra, prima all'indietro e poi verso l'alto. Fatelo prima con la gamba destra e poi con la sinistra. Eseguite l'esercizio dalle 5 alle 12 volte per ciascuna gamba, espirando mentre salite e inspirando mentre scendete.

B 〉 WORKOUT DI TONIFICAZIONE MUSCOLARE METABOLICA ADDOME

Giorni di esecuzione

6-10-14-18-22-26-30

1

ADDOMINALI BASSI DA SEDUTI (CRUNCH IN EQUILIBRIO)

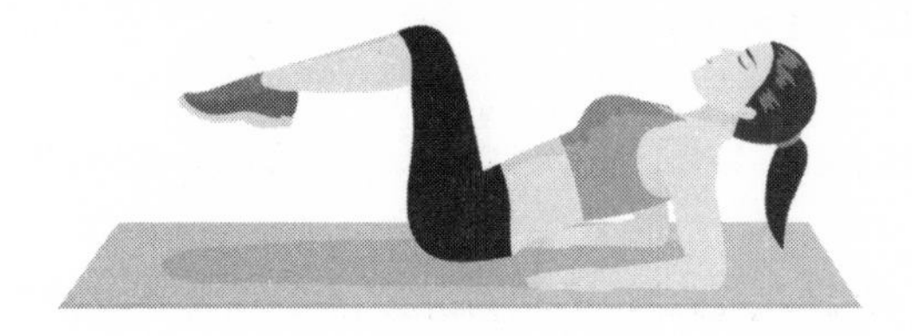

Sedete sul tappetino con le ginocchia flesse e i piedi poggiati a terra. Dopo aver piegato il busto leggermente all'indietro, poggiate i palmi delle mani lateralmente ai fianchi. Inspirate e richiamate le ginocchia al petto ricercando il vostro equilibrio. Flettete i gomiti e abbassate ancora un po' il busto per assecondare il movimento senza inarcare mai la schiena, poi allontanate ritmicamente le ginocchia dalle spalle coinvolgendo le gambe e il busto come nel movimento della fisarmonica. Il movimento è lento e armonico, inspirate quando distendete le gambe e il busto ed espirate nella fase di risalita e contrazione. Per mantenere più facilmente l'equilibrio guardate un punto fisso davanti a voi.
Poggiate i piedi solo al termine dell'esercizio. Ripetete dalle 5 alle 12 volte.

2

ROTAZIONE DEL TRONCO DA SEDUTI

Come nell'esercizio precedente, seduti con le ginocchia flesse, i piedi che non toccano terra e i palmi delle mani poggiati a terra dietro di voi, alla larghezza dei fianchi, ricercate una posizione di equilibrio sui glutei. Effettuate una rotazione del busto alternativamente a destra e a sinistra. Inspirate quando il tronco è al centro ed espirate in fase di rotazione. Il movimento è lento e controllato, la schiena è dritta. Ripetete dalle 5 alle 12 volte.

3

CRUNCH A TERRA

Sdraiatevi sul tappetino in posizione supina, le ginocchia sono leggermente flesse in modo che le piante dei piedi appoggino al suolo. Le gambe dovranno rimanere immobili per tutta la durata dell'esercizio. La testa inizialmente è a contatto con il pavimento. I palmi delle mani sono appoggiati sulle cosce. Contraete gli addominali per eseguire una flessione della colonna in modo che la parte alta della schiena si stacchi da terra e, assecondando il movimento, fate scivolare i palmi delle mani sulle cosce fino a quando le dita supereranno le ginocchia. Fermatevi e riscendete a terra. Inspirate discendendo. Durante l'esercizio fate ben attenzione a tenere costante la distanza tra mento e sterno. Ripetete da 5 a 12 volte.

ADDOMINALI BASSI A GAMBE TESE

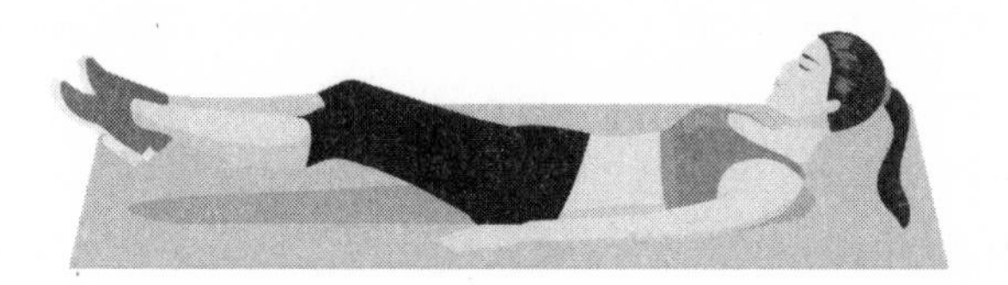

Sdraiatevi sul tappetino in posizione supina, il dorso delle mani sotto la regione lombare per sostenerla. Sollevate leggermente torace e testa a guardare l'ombelico. Sollevate le gambe unite e tese, formando un angolo di 90 gradi rispetto al suolo. Espirando abbassate lentamente le gambe senza mai arrivare a toccare il pavimento, inspirando risalite con le gambe. Se l'esercizio risulta troppo faticoso potrete flettere le gambe. Ripetete da 5 a 12 volte.

5

STRETCHING DELL'ADDOME E DEL TORACE ANTERIORE

Questo esercizio, se ben eseguito, ci fa assomigliare a un cobra. Dalla posizione precedente spostatevi in posizione prona, unite le gambe, allungate i piedi sul dorso, appoggiate la fronte in terra e le mani ai lati del torace, piegando i gomiti. Inarcate la schiena sollevando il busto e allungando il collo. Avvicinate i gomiti al busto. Con ogni inspirazione spingete di più le mani sul pavimento e usate questa spinta per sollevare ancora un po' il torace. Cercate di compiere almeno due respirazioni complete prima di uscire dalla posizione. Mantenetela per almeno un minuto.

6

CRUNCH OBLIQUO

Da posizione supina, mani intrecciate dietro la nuca, ginocchia flesse e piedi ben poggiati al pavimento, accavallate il piede destro sul ginocchio opposto. Inspirando sollevate la spalla sinistra e cercate di portarla verso il ginocchio destro, tenendo gli addominali in tensione quando salite. Espirate discendendo. Fate lo stesso con spalla e ginocchio opposti. Ripetete da 5 a 12 volte per lato.
Il crunch obliquo è una variante del crunch classico che ha lo scopo di concentrare lo sforzo soprattutto sulle fasce laterali dell'addome, gli addominali obliqui interni ed esterni.

7

CRUNCH OBLIQUO, VARIANTE 2

Adesso proviamo una variante leggermente più avanzata rispetto al punto precedente. Da posizione supina, mani intrecciate dietro la nuca, ginocchia flesse e entrambi i piedi poggiati al pavimento. Inspirando avvicinate contemporaneamente gomito destro e ginocchio sinistro, espirando discendete. Fate lo stesso con gomito e ginocchio opposti. Ripetete da 5 a 12 volte per lato.

8

LOMBARI A TERRA

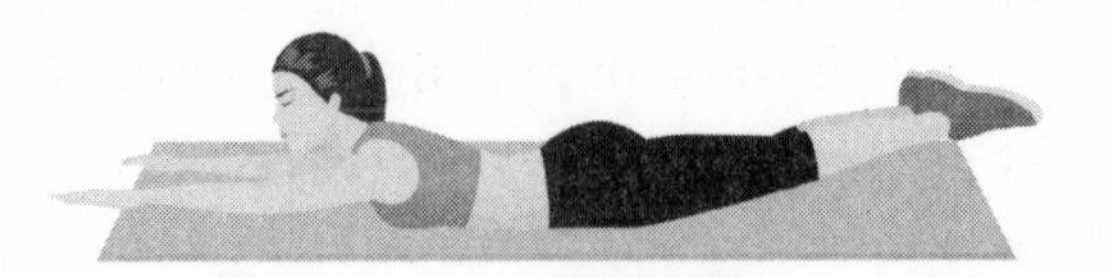

Stendetevi sul tappetino in posizione prona, allineate la colonna vertebrale, distendete braccia e gambe allungandovi il più possibile. Espirando staccate contemporaneamente da terra gambe e braccia portandole verso l'alto, inspirando ridiscendete. È molto importante che prestiate grande attenzione a mantenere il collo perfettamente allineato e allungato durante l'intera esecuzione dell'esercizio, senza infossarlo nelle spalle o inarcarlo troppo.
Questo esercizio è molto utile per rinforzare la zona lombare, ottimo per chi soffre di schiena. Ripetetelo da 5 a 12 volte, espirando quando salite e inspirando quando scendete.

9

PLANK

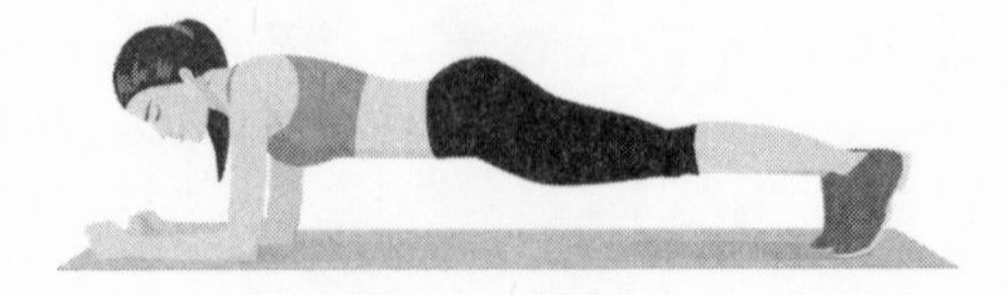

Da posizione di quadrupedia, posate entrambi i gomiti sul tappetino e intrecciate le dita delle mani. Distendete prima la

gamba destra, puntate le dita del piede, poi fate lo stesso con la gamba sinistra. Ricercate un allineamento del corpo simile a un bastone: capo, omeri, bacino e ginocchia devono essere allineati. Per mantenere la posizione contraete quadricipiti, glutei e addome, cercando di non aiutarvi puntando il bacino verso il soffitto. Mantenete la posizione per 30 secondi.
Una versione più avanzata dell'esercizio: ripetete il plank fino a un massimo di 3 volte.

10

STRETCHING DELL'ADDOME E DEL TORACE ANTERIORE

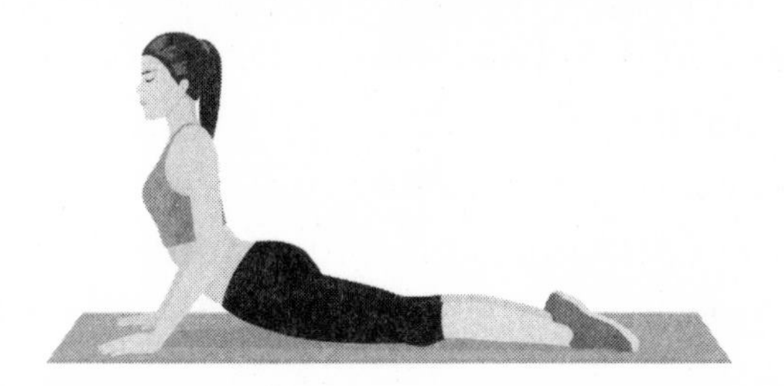

Ripetete il punto 5.

C › WORKOUT DI TONIFICAZIONE MUSCOLARE METABOLICA GLUTEI

Giorni di esecuzione

8-12-16-20-24-28

1

SQUAT CON SLANCI POSTERIORI

Da posizione eretta, divaricate le gambe in modo che i piedi siano in linea con le spalle, flettete le ginocchia spostando il peso sui talloni fino a che le cosce non sono parallele al pavimento. Inspirando scendete, avendo cura che le vostre ginocchia non superino la punta dei vostri piedi, ed espirando risalite e, una volta tornati su, scalciate all'indietro a gamba tesa, prima da un lato poi dall'altro. Ripetete dalle 5 alle 12 volte.

2

LA RANA

Da posizione eretta, divaricate le gambe in modo che i piedi siano in linea con le spalle, braccia lungo i fianchi. Avendo cura di mantenere la schiena perfettamente dritta, flettete le gambe in modo che le ginocchia puntino verso l'esterno, fino a toccare il pavimento con la punta delle dita al centro delle vostre gambe. Inspirando flettete, espirando balzate verso l'alto come farebbe una rana nello stagno. State bene attenti a non dare strappi troppo forti che potrebbero farvi male alla schiena. Ripetete dalle 5 alle 12 volte.

3

SLANCI POSTERIORI A GAMBA TESA DA TERRA

Mettetevi in posizione di quadrupedia sul tappetino, mani in linea con le spalle, mantenendo gli addominali attivi in modo da proteggere le vertebre lombari e il collo. Inspirando richiamate il ginocchio destro al torace e poi espirando slanciate posteriormente e verso l'alto. Ripetete il movimento sempre con la stessa gamba dalle 5 alle 12 volte.

4

SLANCI POSTERIORI A GAMBA STESA E TRACCIA UNA M

Stessa posizione di partenza dell'esercizio precedente. Inspirando distendete bene la gamba destra all'indietro, poi effettuate delle oscillazioni come per disegnare una emme con la punta del piede steso. Ripetete il movimento, sempre con la stessa gamba, dalle 5 alle 12 volte.

5

ALZATA LATERALE A GAMBA PIEGATA

Stessa posizione di partenza dell'esercizio precedente. Inspirando alzate lateralmente la gamba e il ginocchio destro raggiungendo l'altezza delle anche (posizione del cane che fa pipì). Espirando riabbassate. Ripetete sempre con la stessa gamba dalle 5 alle 12 volte.

Adesso ripetete i punti 3, 4 e 5 con la gamba sinistra.

6

BRIDGE ISOMETRICO

Sdraiatevi sul tappetino in posizione supina in modo che testa, collo e rachide risultino ben allineati. Braccia aperte, palmi verso terra, tenete le ginocchia flesse, piedi a terra e talloni distanti tra loro, alla larghezza del bacino. Da qui attivate gli addominali e inspirando portate in alto il bacino contraendo i muscoli dei glutei, fino a che cosce, bacino e torace formano una linea retta. Mantenete la posizione del ponte per 30 secondi. Espirando scendete.

7

BRIDGE ISOMETRICO SU UNA GAMBA SOLA

Sdraiatevi sul tappetino in posizione supina in modo che testa, collo e rachide risultino ben allineati. Braccia aperte, palmi verso terra, gamba destra piegata con la pianta del piede ben adesa al suolo. Addominali attivi e distendete la gamba sinistra portandola più in alto che potete. Ora portate in alto il bacino contraendo i muscoli del gluteo della gamba in appoggio fino a che cosce, bacino e torace formano una linea retta. Mantenete la posizione per 30 secondi. Espirando scendete. Ripetete l'esercizio con l'altra gamba.

8

BRIDGE IN MOVIMENTO

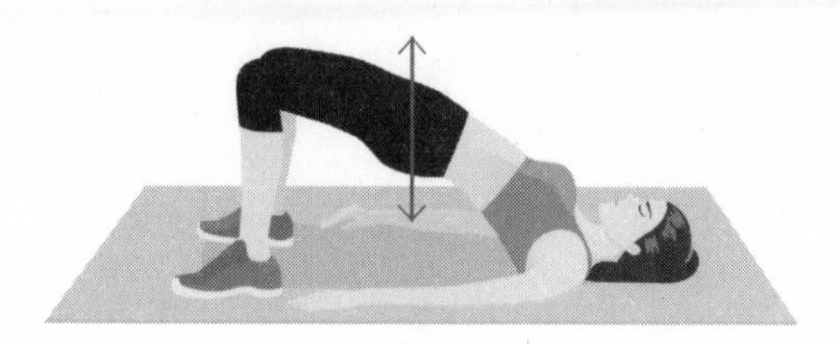

Ripetete l'esercizio 6, ma con una variante dinamica. Da posizione supina, braccia aperte, palmi verso terra, tenete le ginocchia flesse, piedi a terra e talloni distanti tra loro, alla larghezza del bacino. Da qui attivate gli addominali e inspirando portate in alto il bacino contraendo i muscoli dei glutei, fino a che cosce, bacino e torace formano una linea retta. Espirando riportate il bacino a sfiorare il suolo, ma senza toccarlo. Ripetete il movimento dalle 5 alle 12 volte.

D › SEQUENZA QUOTIDIANA DI STRETCHING

Iniziamo ora a rivoluzionare il nostro corpo con i segreti dello stretching. Ci occorreranno un tappetino morbido e abiti adatti, che non costringano il corpo. L'esecuzione della sequenza è prevista tutti i giorni del programma.

1

POSIZIONE DELLA MONTAGNA

È uno degli asana di base dello yoga. Si parte da posizione eretta in piedi, cominciate con i piedi uniti o leggermente separati e paralleli: spalle rilassate e braccia lungo i fianchi. Inizialmente, senza esercitare alcuna azione specifica, osservate la vostra respirazione e prendete consapevolezza delle sensazioni corporee che emergono. Mantenendo la respirazione silenziosa, senza forzare portate la vostra attenzione sui piedi che respingono il suolo, da tale spinta le ginocchia si distendono posizionando il bacino e via via la spinta dei piedi, salendo,

coinvolge la colonna vertebrale che inizia ad allungarsi verso l'alto attenuando le proprie curve fisiologiche. Le braccia sono distese lungo i fianchi, come se volessero respingere il suolo anch'esse attive con le dita ben distese, mentre il vertice del capo riceve una delicata spinta verso l'alto come tirato da un invisibile cavo. Mantenete la posizione ad occhi aperti sentendo il peso del corpo bilanciato sui piedi.
Inspirate solo con il naso, sentendo questa forza vitale (il respiro) slanciare il torace verso l'alto, espirate sempre con il naso lasciando tornare naturalmente il torace alla posizione normale.

Benefici: ***eseguita in maniera corretta, questa posizione dona una postura elegante, slancia la figura e dà fermezza alla mente. Saremo stabili come una montagna.***

2

STRETCHING DELLA MUSCOLATURA POSTERIORE DELLE GAMBE

Dalla posizione della montagna, inspirando tendete le braccia verso l'alto e al di sopra della testa, con i palmi delle mani che si guardano tra loro. Espirate, piegate le ginocchia e flettete il busto finché non è parallelo al pavimento. Sempre espirando abbassate le braccia fino a toccare il pavimento con le mani e, se possibile, in alternativa mettete le braccia conserte. Con la successiva espirazione distendete lentamente le ginocchia. Mantenete la posizione per almeno un minuto.

Benefici: ***rilassa e toglie rigidità alle spalle e dalla parte posteriore delle gambe. I muscoli delle gambe si allungano e, respirando come descritto, il diaframma si solleva massaggiando delicatamente il cuore. Gli organi interni vengono tonificati.***

3

STRETCHING DELLA CATENA MUSCOLARE POSTERIORE, SCHIENA, GLUTEI E GAMBE

Dalla posizione precedente piegate nuovamente le ginocchia. Portate entrambi i palmi delle mani davanti ai piedi sul pavimento. Un piede alla volta fate un passo indietro. I piedi si allontanano dalle mani e sono alla larghezza del bacino. Le gambe sono dritte e rigide, il bacino viene portato il più possibile verso l'alto. Le braccia e la schiena spostano anch'esse il peso verso la parte posteriore, le braccia sono distese, il capo è allineato alle braccia.

Benefici: ***ringiovanisce la spina dorsale, è consigliata anche a chi ha problemi lombari, sciatica o dischi vertebrali deviati o collassati. I polmoni acquistano elasticità. Il sangue circola in maniera adeguata anche nella regione pelvica.***

STRETCHING DEL MUSCOLO ILEOPSOAS

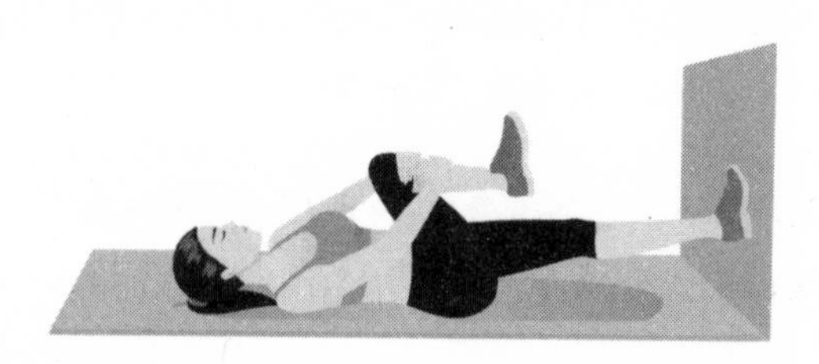

Stando distesi sulla schiena davanti a una parete, piegate una gamba al petto prendendo con le mani il ginocchio, mentre distendete l'altra gamba portando il piede dritto a toccare la parete con l'intera pianta.
Mantenendo tale posizione, eseguite tre cicli di respirazioni lente, poi cambiate gamba ed eseguite quanto descritto sopra.

Benefici: ***allungare lo psoas libera la colonna nel suo tratto lombare e ha effetti su alcuni organi e visceri, poiché è come se si massaggiassero con il respiro.***

5

STRETCHING DEL QUADRICIPITE FEMORALE

In ginocchio sul tappetino, tenete unite le ginocchia e separate i piedi. Spostate lentamente il peso del corpo indietro andando a poggiare i glutei sul pavimento, tra i piedi. Le mani sono a riposo, i polsi e il dorso poggiati sulle cosce, i palmi all'insù, la schiena è ben dritta, le spalle rilassate, il collo sempre in linea con la spina dorsale. Le dita dei piedi sono allungate e rilassate sul pavimento. Tenete la posizione per almeno 4 respiri.
Se durante l'esecuzione di questa posizione avvertite fastidio alle ginocchia o eccessiva tensione sui quadricipiti, potete utilizzare un cuscino o un supporto a sostegno dei glutei.

Benefici: ***questa posizione, che nello yoga si chiama dell'eroe, cura i dolori reumatici delle ginocchia e la gotta. È consigliabile anche in caso di piedi piatti. Otterranno benefici anche coloro che hanno escrescenze ai calcagni. Stimola e sostiene la funzionalità gastrica e favorisce la digestione.***

6

STRETCHING DEI LOMBI

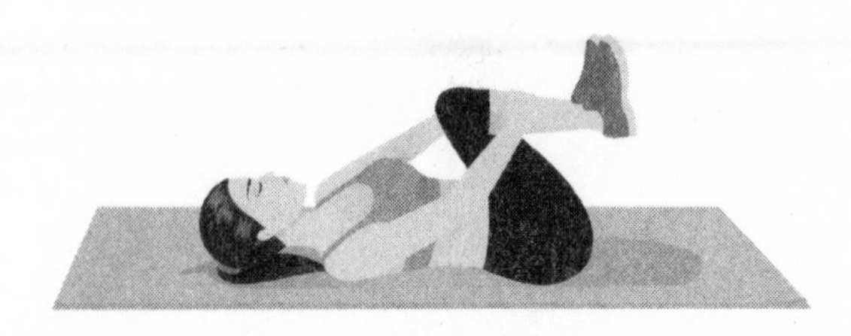

Distendetevi sulla schiena, allungate bene gambe, schiena e collo. Inspirate, poi flettete le ginocchia al torace e cingete con entrambe le braccia le gambe flesse portando le ginocchia verso il petto e la testa verso le ginocchia. Mantenete la posizione per il tempo dell'espirazione e poi ripetete almeno tre volte.

Benefici: ***rilassa, tonifica e libera dalle tensioni i muscoli dei lombi. Eseguita quotidianamente, offre anche un beneficio alla colonna.***

7

STRETCHING POSIZIONE DEL SEME

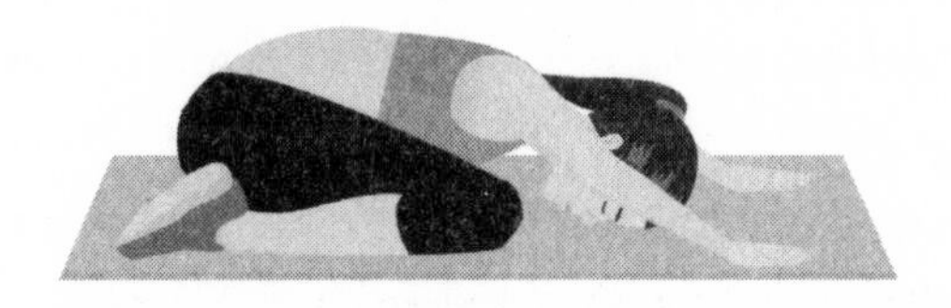

Dalla posizione di quadrupedia, flettete la colonna, braccia lungo i fianchi. Inspirate e poi, espirando, sedete sui talloni.

Inspirate ed espirando flettete il torace verso terra fino ad arrivare a poggiare la fronte al pavimento. Se non ci riuscite potete usare un cuscino posto sotto la testa. È importante muoversi con lentezza, perché i benefici sulla schiena si ottengono maggiormente quando la posizione è morbida e consente un rilassamento generale del corpo.

Benefici: ***rilassa completamente la schiena e consente di aumentare lo spazio intravertebrale. Chiudere la nostra sessione di stretching con questa posizione consentirà al corpo di completare quello stato di rilassamento indispensabile nella seconda fase della giornata.***

E 〉 ESERCIZIO DI RESPIRAZIONE DIAFRAMMATICA CIRCOLARE

Tutte le sere, almeno due ore dopo la cena e prima di andare a letto, eseguite questa sequenza di respirazione per almeno cinque minuti.
Prima di iniziare è bene assicurarsi di aver terminato tutte le incombenze della giornata, altrimenti le cose lasciate incompiute potrebbero facilmente trasformarsi in tarli mentali che interferirebbero con la pratica.
Quella che all'inizio potrebbe sembrare una forzatura inutile diventerà ben presto una piacevole abitudine, quasi un massaggio che consentirà di entrare più in fretta in uno stato di rilassamento profondo.

Distendetevi in posizione supina sul letto.
Percepite il peso del vostro corpo, dalla testa ai piedi, poggiare sulla superficie del materasso.
Per favorire l'apertura toracica e permettere una buona respirazione, ponete un cuscino a sorreggere la parte alta della schiena e il capo.
Adesso dividete mentalmente il vostro corpo in 3 segmenti: addome, torace mediano e apici toracici.
Immaginate ora di inspirare e gonfiare in sequenza questi 3 segmenti:

1 〉 *inspirando, gonfiate prima l'addome,*
2 〉 *di seguito riempite d'aria la porzione mediana dei polmoni*
3 〉 *completate la sequenza facendo arrivare ossigeno alla parte più alta degli apici polmonari.*

Nell'espirazione seguite l'ordine inverso: svuotate d'aria gli apici polmonari, a seguire la parte toracica mediana e infine la parte addominale.
Ripetete la respirazione nel modo più lento possibile, ponendo attenzione alle singole fasi della respirazione. Dopo i primi tre atti respiratori cercate di allontanare tutti i pensieri dalla vostra mente e concentrare la vostra attenzione sull'aria che entra ed esce dal corpo.
Se trovate più semplice l'espirazione invece dell'inspirazione significa che siete ancora in fase «di allarme». Ripetete la sequenza finché non la eseguirete con naturalezza.
Se invece non avvertite nessuna differenza fra inspirazione ed espirazione, o percepite solo una leggera difficoltà nell'espirazione, allora complimenti: vuol dire che avete fatto un ottimo lavoro.

Chi inizialmente trova la pratica troppo faticosa può alternare respirazione circolare diaframmatica con atti respiratori spontanei.

CAPITOLO 5

La fase 1: reset intestinale

Siamo finalmente arrivati al momento di iniziare a fare sul serio. In questi tre giorni, che coincidono con la fase 1 del metodo del Restart metabolico, vi chiederò di rivoluzionare il vostro stile di vita.

Per chi trascorreva le giornate sul divano a lamentarsi di quel senso di pesantezza molesto, ma senza far niente per trovare una soluzione, sarà l'occasione di alzarsi e muoversi seguendo il programma graduale dei workout. Tra il fare e il non fare è meglio fare poco, ma tutti i giorni.
Per chi non riusciva a controllare la fame per il cibo spazzatura, per poi cadere puntualmente vittima dei propri sensi di colpa, sarà l'occasione di dare una svolta risolutiva alla propria alimentazione.
Per chi affogava nello stress, inghiottito in una vita troppo frenetica pagando lo scotto di problemi di insonnia e gonfiore, sarà l'occasione per iniziare a riprendersi i propri spazi e tempi, grazie agli esercizi di respirazione che lo aiuteranno a ritrovare un nuovo equilibrio.
È vero, ogni cambiamento fa paura, ma chi non ha paura non ha coraggio e aver acquistato questo libro è l'inizio di un per-

corso che vi porterà a vincere la prima e stimolare il secondo. Dopotutto è impossibile cambiare una situazione continuando a fare sempre le stesse cose!

SOS pelle

Durante questi tre giorni detox il vostro organismo si libererà delle tossine accumulate negli anni. Per questo assisterete a una perdita di peso e di volume piacevolmente rapida. Vi suggerisco di aiutare la vostra pelle a seguire questo processo senza stress. Quella che segue è una ricetta per preparare un olio curativo che previene smagliature e rilassamento cutaneo. Ricordate di scegliere gli ingredienti di questa ricetta con molta attenzione.

› L'OLIO SALVAPELLE ANTI-SMAGLIATURA

INGREDIENTI

Olio di mandorle premuto a freddo biologico 80% · Olio di iperico 20% · *Facoltativo*: un olio essenziale a scelta.

Entrambi gli oli possono essere acquistati in erboristeria o in farmacia. Mescolare seguendo le proporzioni indicate. La miscela può essere utilizzata per massaggiare la pelle del corpo 1 o 2 volte al giorno. Alcuni oli essenziali hanno particolari proprietà. Ve ne suggerisco alcuni: l'olio essenziale di rosmarino ha azione tonificante, quello di origano è anticellulite, la rosa damascena è idratante, l'olio di calendula è antinfiammatorio e lenitivo.

Cosa mangeremo nella fase 1?

I primi tre giorni del Restart metabolico saranno dedicati al reset metabolico, all'ossigenazione, all'idratazione e alla rimessa in forma dell'intestino: ripristino della funzionalità gastro-intestinale, idratazione cellulare, ossigenazione mitocondriale, integrazione di minerali, vitamine e grassi buoni, tutto al fine di attivare il metabolismo. Per ossigenare, idratare e ridurre le putrefazioni e fermentazioni intestinali, elimineremo tutti gli alimenti che contengono glutine, cereali, pseudo-cereali, uova, lattosio, caseina, carne rossa, bianca, affettati, legumi, pesce, solanacee, zucchero, aceto, soia e sale. Imposteremo quindi un'alimentazione basata su cibi crudi, frullati e di stagione.
Avete capito bene: per tre giorni ci alimenteremo solo di cibi liquidi e semi-liquidi. Sono certo – per esperienza – che, nonostante le resistenze iniziali, in futuro desidererete ripetere di tanto in tanto questi tre giorni depurativi, perché vi aiuteranno a ritrovare energie e benefici fisici che avevate dimenticato da tempo. Non temete, non parliamo di semplici spremute di frutta o estratti: scoprirete i grandi benefici sul corpo che possono derivare da quello che io chiamo «frullato metabolico».
Vi starete chiedendo: riuscirò a stare in piedi tutto il giorno bevendo solo frullati? Quanta fame soffrirò? Non rischio di far mancare al mio corpo i nutrienti di cui ha bisogno?
Il frullato metabolico non è un comune frullato di frutta o verdura a cui avrete aggiunto acqua o latte. I frullati normali non sono un'alimentazione completa: mancano di micronutrienti e fanno innalzare troppo velocemente la glicemia, innescando l'oscillazione dell'insulina nel sangue che ci porterà non solo ad aver di nuovo fame dopo venti minuti dal pasto ma perfino a ingrassare. Al contrario, il programma del Restart metabolico

prevede di mantenere sempre costanti nel sangue i livelli di glicemia e insulina. Il nostro frullato apporterà infatti all'organismo tutti i micronutrienti necessari – acqua, fibre, vitamine, minerali, grassi buoni, zuccheri e amminoacidi essenziali – evitando oscillazioni di glicemia e insulina. È un vero e proprio mix salutare, indispensabile per pulire il nostro apparato gastro-intestinale da putrefazioni e fermentazioni accumulatesi nel tempo. Gli ingredienti sono rigorosamente naturali – niente intrugli artificiali, non temete! – e sono: acqua, frutta fresca e frutta secca, semi, radici, erbe aromatiche e spezie. Tutto fresco e di stagione (vedi la Tabella degli ingredienti di p. 139-143).

COSA FARE IN CASO DI ATTACCO DI FAME

Per prima cosa bevete 2 bicchieri di acqua naturale a temperatura ambiente (l'equivalente di 250 ml). Attendete 2 minuti. La fame dovrebbe svanire: in questo caso il vostro organismo aveva semplicemente confuso lo stimolo della sete con quello della fame.
Se la crisi non passa, mangiate un frutto a scelta e una manciata di frutta secca.

L'acqua

In materia di dimagrimento tutti pensano di dover impostare un piano alimentare sulla base delle proporzioni di proteine, carboidrati e grassi, ma in pochi pensano ai due principali elementi che nutrono il nostro metabolismo: ossigeno e acqua. La beta ossidazione dei grassi, quel meccanismo mediante il quale il nostro organismo riesce a utilizzare i grassi come fonte

di energia, avviene in presenza di acqua e ossigeno e idratando le nostre cellule le ossigeniamo allo stesso tempo.
Avrete notato che quando siete in un ambiente chiuso e affollato, con l'aria viziata, iniziate a sbadigliare, sentite i riflessi rallentati, sopraggiungono sonno e pesantezza di testa. Questo avviene perché a livello metabolico lo zucchero ha bisogno di ossigeno per entrare nei mitocondri e produrre energia, e, in sua carenza, tornerà indietro sotto forma di acido lattico, bloccando i muscoli e rendendoci stanchi e letargici.
Le cellule ricevono ossigeno attraverso il sangue, che grazie all'emoglobina lo trasporta a tutti i tessuti. Il sangue è costituito per il 90% di acqua e svolge al meglio il proprio lavoro in un organismo bene idratato: in un organismo intossicato, infiammato e in stress ossidativo, al contrario, si nota una disidratazione cellulare che non permette l'adeguata ossigenazione. L'acqua infatti aumenta il volume del sangue e in questo modo le sostanze nutritive trasportate attraverso il circuito sanguigno saranno distribuite meglio a tutto l'organismo. Si è visto che una disidratazione dell'1% è in grado di provocare un rallentamento del metabolismo del 10%, un valore incompatibile con la vita. Quindi acqua e ossigeno sono i due ingredienti su cui si basa l'intero funzionamento del nostro corpo.
Il frullato metabolico è ricco di acqua - quella aggiunta da noi e quella cellulare contenuta nella frutta e nella verdura - e ci consente di ossigenare adeguatamente le cellule e stimolare lo sblocco metabolico.
È importante scegliere un'acqua di qualità da aggiungere al frullato, considerando che sarà il nostro unico pasto. L'ideale è sempre l'acqua del rubinetto, ma se questo non è possibile preferitela in bottiglie di vetro e prestate attenzione al residuo fisso che trovate indicato sull'etichetta e che indica una stima della

quantità di sali minerali disciolti nell'acqua. Il valore si esprime in mg/l e deve essere più basso possibile, meglio se contenuto entro il valore di 50 mg/l (tipico delle acque minimamente mineralizzate, con poco sodio, che favoriscono la diuresi).

Seguire un'alimentazione liquida per tre giorni aiuterà il corpo a riacquisire idratazione, che come abbiamo visto significa anche una migliore ossigenazione e, di conseguenza, energia da vendere. Le cellule idratate avvieranno infatti i processi metabolici in modo più efficiente e con meno sforzo. Non avvertirete più quella sensazione di fame nervosa, o quell'incontrollabile voglia di dolci. Tutta l'energia di cui avrete bisogno deriverà in parte dal frullato metabolico e in parte dalle riserve di grasso in eccesso che fino a questo momento se ne stavano ben chiuse a chiave in luoghi inaccessibili al nostro metabolismo inceppato nella pancia, nei fianchi e nelle cosce. Avevate perso le chiavi per andare ad aprire quelle porte e utilizzare quell'enorme quantitativo di energia, potenziale ma bloccata. I tre giorni del reset metabolico la renderanno finalmente libera di fluire e diventare carburante per la vostra auto.

La frutta

La frutta, ricca di vitamine, sali minerali, fibre e sostanze fitochimiche, ma povera di grassi e calorie, sarà l'ingrediente principale del nostro frullato.
La frutta è essenziale per un'alimentazione sana ed equilibrata, a dirlo è l'Organizzazione Mondiale della Sanità che invita i cittadini a un consumo quotidiano, per mantenere un ottimale stato di salute e di funzionalità metabolica.

Il colore della frutta può darci indicazioni sul suo contenuto fitochimico. La frutta gialla e arancione è ricca di betacarotene, che nell'organismo si trasforma in vitamina A, che oltre a proteggere dalle infezioni e ridurre il rischio di tumori, è utile alla salute di occhi, pelle, cuore e polmoni.
La frutta verde è ricca di clorofilla, una sostanza che nel mondo vegetale è omologa all'emoglobina nel mondo animale e nell'essere umano. Introducendo clorofilla nell'organismo, il sangue incrementa il proprio contenuto di ferro e di emoglobina migliorando l'ossigenazione dell'organismo ed evitando a priori problemi di anemia.
La frutta viola deve il proprio colore all'antiossidante antocianina, che protegge da processi di invecchiamento precoce e nutre le pareti dei nostri vasi sanguigni.
Il colore rosso è indice di licopene, una sostanza assai studiata in medicina per le sue proprietà antiossidanti e antitumorali.
La dolcezza del frutto ci trae in inganno e ci fa pensare a un alimento zuccherino, che tende a far innalzare la glicemia, dunque proibito per la dieta, ma l'innalzamento della glicemia successivo all'ingestione di un frutto viene immediatamente bilanciato dalla presenza delle fibre che, tra le tante funzioni, hanno anche quella di contenere l'assorbimento di zucchero nell'organismo.
Lo zucchero presente nella frutta non è il comune saccarosio – lo zucchero bianco da tavola di cui oggi conosciamo bene la potenziale dannosità – ma il fruttosio, uno zucchero semplice a basso indice glicemico. Considerando che il glucosio ha un indice glicemico pari a 100, quello del fruttosio è di appena 20. Quando introduciamo il glucosio nell'organismo abbiamo rapido innalzamento della glicemia e dell'insulina, e mantenere l'insulina alta fa ingrassare.

L'assorbimento del fruttosio è molto più lento di quello del glucosio, o del saccarosio, e quando arriverà al fegato, che dovrà provvedere a trasformarlo perché possa essere utilizzato dal metabolismo, per il 10% sarà trasformato da un enzima, la esochinasi, che, a seconda delle esigenze energetiche del nostro organismo, lo userà per la produzione di energia o di grasso. L'altro 90% di fruttosio che abbiamo ingerito andrà incontro a un altro enzima specifico, la fruttochinasi, che trasformerà il fruttosio in modo che possa venire convertito direttamente in energia, senza passare per la via dell'insulina. Questo spiega come mai il fruttosio è consigliato per i diabetici. Fanno eccezione solo alcuni frutti, come l'uva e la banana, che comunque è meglio evitare.

QUANDO IL FRUTTOSIO FA INGRASSARE?

Un eccesso di fruttosio, o una combinazione di fruttosio e glucosio, o di fruttosio e saccarosio, ad esempio se lo si assume sotto forma di sciroppo di fruttosio, di mais o come zucchero aggiunto ai prodotti industriali e nelle bevande zuccherate, può stimolare un aumento della produzione di trigliceridi nel fegato (fegato grasso), soprattutto in assenza di movimento quotidiano. **Questo non avviene se si assume fruttosio esclusivamente dalla frutta.** ***Limitate gli zuccheri aggiunti e non fidatevi dei prodotti industriali che gridano «fruttosio» come se fosse la soluzione miracolosa per dolcificare in modo sano.***

La frutta secca e i semi oleaginosi

Fino a questo momento il nostro frullato è ricco di acqua, vitamine, minerali, zuccheri buoni della frutta e fibre. È necessario integrare proteine e grassi buoni. Nei tre giorni del reset intestinale inseriremo esclusivamente grassi polinsaturi di derivazione vegetale e per farlo inseriremo frutta secca e semi oleaginosi.

È importante sapere che i grassi polinsaturi non sono tutti uguali. Possiamo dividerli in due classi: Omega-3 e Omega-6. I primi sono fondamentali per l'integrità delle cellule e svolgono numerose azioni benefiche per l'organismo, mentre gli Omega-6, se assunti in eccesso (più di 6 grammi al giorno), sono potenzialmente dannosi per la nostra salute, attivano processi pro-infiammatori e rallentano il metabolismo.

In questi tre giorni assumeremo specialmente Omega-3.

Immaginate le cellule del nostro organismo come un contenitore che reagisce attivamente alle sostanze che decidete di inserire al suo interno. Se fino a questo momento mangiavate prevalentemente formaggi, carni e affettati, le avete riempite di grassi saturi che esercitano un'azione negativa sul DNA cellulare, orientandolo verso un metabolismo più lento.

Attraverso l'inserimento dei semi oleaginosi e della frutta secca daremo un controbilanciamento e una sterzata al metabolismo cellulare, che diventerà più reattivo e veloce. I semi oleaginosi sono cibo vivo, ottimi integratori non solo di Omega-3 ma anche di proteine, minerali, vitamine idrosolubili e liposolubili, fibre idrosolubili con funzione prebiotica per il colon.

Ecco un elenco dei semi che sicuramente amerete nel frullato metabolico: lino, chia, nocciola, noce, pinolo, pistacchi, canapa, girasole, zucca, mandorla, sesamo.

COME RENDERE IL FRULLATO METABOLICO PIÙ NUTRIENTE

Metti a bagno la frutta secca e i semi oleaginosi, in semplice acqua, la sera prima dell'utilizzo. Sarà sufficiente un ammollo di circa sei ore. In questo modo non solo renderemo i semi più morbidi, ma il frullato sarà più gustoso e cremoso. Inoltre i principi nutritivi degli alimenti vivi (non sono altro che semi, contengono la promessa dell'intera pianta) verranno attivati dall'acqua.

Le radici

Per dare un'ulteriore stabilità e direzione metabolica al frullato aggiungeremo, a seconda della stagione, una radice.
Tutto parte dalle radici, se voglio costruire un palazzo alto e solido, resistente alle intemperie, ho bisogno di solide fondamenta, allo stesso modo quando osserviamo un albero alto anche 30-40 metri, questo per sorreggersi ha delle radici solide che lo piantano a terra.
E se voglio andar lontano ho bisogno di lavorare sulle basi...
Le radici delle piante hanno la capacità di trasformare i minerali inorganici del terreno in sostanze biodisponibili sia per la pianta stessa che per l'uomo. Ogni radice ha la sua funzione, per esempio lo zenzero, oltre a possedere una grande quantità di antiossidanti, ha una forte azione adattogena, riduce la nausea e interviene positivamente sulle problematiche di reflusso gastroesofageo.
Noi sfrutteremo queste proprietà inserendo la radice più opportuna per noi all'interno del nostro frullato metabolico.

Le erbe aromatiche

Le erbe aromatiche sono ricche di fragranze che nobilitano i cibi e ne esaltano il gusto, motivo in più per inserirle all'interno del nostro frullato. Sono inoltre ricche di sostanze nutritive, per esempio 1,4 g di salvia contengono il 2,9% del nostro fabbisogno di calcio, l'1,6% del fabbisogno di magnesio, vitamine come la K, la A, la B6. Ma l'aspetto ancor più esaltante sono le loro proprietà medicinali. Queste erbe devono il proprio aroma all'esigenza di scacciare insetti potenzialmente nocivi o attrarre insetti buoni per la pianta stessa, e sono un vero e proprio concentrato fitochimico di terpeni e fenoli, che sono per l'essere umano dei potenti antiossidanti e antinfiammatori.
Dato che l'obiettivo di questi tre giorni è ridurre l'infiammazione, l'acidità sistemica e lo stress ossidativo, mi sembra che con le erbe aromatiche ci poniamo decisamente sulla buona strada.
Alcuni esempi? La salvia, con il suo contenuto di fitoestrogeni, si accorda bene ad accompagnare le donne nel passaggio dalla fase fertile a quella della menopausa. La menta sostiene in maniera eccellente i processi digestivi ed è usata come un vero e proprio medicamento presso alcuni popoli caraibici o mediorientali. Il crescione ha proprietà digestive e disintossicanti ed è un diuretico naturale che contrasta ritenzione idrica e ipertensione.
Per questo nel nostro frullato metabolico aggiungeremo di volta in volta un aroma, naturalmente scegliendolo fresco, in foglia, dunque di stagione. Ricordate di variare spesso perché così come diverso è l'aroma, diverse saranno le caratteristiche fitochimiche e il beneficio per il vostro organismo.

Le spezie

Hanno fatto la fortuna di diversi popoli nel corso della storia e hanno stimolato i grandi viaggi ed esplorazioni del globo, allo scopo di aprire nuove rotte commerciali: sono le spezie, da sempre un tesoro per l'umanità. Ancora oggi certe spezie si pagano «a peso d'oro», come il prezioso zafferano. Cosa le rende alimenti tanto pregiati? Ogni spezia con il suo particolare aroma cela in sé un segreto, ovvero quel particolare equilibrio fitochimico in grado di regolare addirittura il sistema endocrino di una persona o di sostenere alcune funzioni vitali.
Nel frullato metabolico aggiungeremo quindi anche le spezie. Potete sceglierle in polvere (più facili da reperire) o intere, utilizzandone una diversa di volta in volta, assecondando il gusto, ma anche l'utilità.

L'importanza della stagionalità degli ingredienti

Non mi raccomanderò mai abbastanza sull'importanza di scegliere frutta e verdura di stagione. I motivi sono molteplici, iniziando dal sapore: la frutta e la verdura di stagione sono sicuramente più buone, in quanto cresciute nei mesi giusti, in modo naturale, senza essere raccolte in anticipo, senza serre, senza aver dovuto affrontare viaggi in camion refrigerati. Inoltre se la natura ha disposto che un certo vegetale cresca in un certo periodo dell'anno, un motivo c'è: quel particolare alimento disporrà dei micronutrienti di cui avremo bisogno in quella situazione climatica specifica. Pensate all'anguria ad agosto, quando fa un caldo afoso, ricca di acqua e dissetante, è proprio quello che ci vuole. Ma risulterebbe senz'altro indigesta a febbraio, in montagna.

Composizione del frullato metabolico

Ora che abbiamo passato in rassegna tutti gli ingredienti essenziali del frullato metabolico, ecco la ricetta tipo a cui dovrete attenervi:

- ***da 1 a 3 frutti a scelta (devono occupare i 2/3 in volume del frullatore)***
- ***1 radice a scelta (un tocchetto da 2 a 4 cm di lunghezza)***
- ***1 cucchiaio di frutta secca a scelta***
- ***1 cucchiaio di semi oleaginosi a scelta***
- ***1 pizzico di spezie, secondo i tuoi gusti***
- ***1 ciuffo di erbe aromatiche, secondo i tuoi gusti.***

Cinque frullati metabolici

Ogni volta che faccio il reset intestinale dei tre giorni mi diverto a elaborare combinazioni sempre nuove di frutta, spezie e semi oleaginosi. Di seguito ecco cinque delle mie proposte preferite, una per ogni stagione, più un bonus track!
Vi invito a fare lo stesso, a divertirvi, a osare: consultate la tabella degli ingredienti che trovate in fondo a questo capitolo, e giocate con colori, sapori e consistenze per preparare i vostri perfetti frullati metabolici.

Aggiungete acqua quanto basta. Frullate e bevete. Quando iniziano i primi giorni di caldo, se preferite potete aggiungere cubetti di ghiaccio al vostro frullato.

Frullato di primavera

- 1 mela, 1 kiwi, 1 banana
- 1 carota
- 1 cucchiaio di anacardi
- 1 cucchiaio di semi di canapa
- alcune foglie di prezzemolo
- un pizzico di cumino

Frullato d'estate

- 1 pesca + 2 albicocche + le bacche di 3 rametti di ribes
- 2 cm di radice di zenzero
- 3 noci
- 1 cucchiaino di semi di sesamo
- alcune foglie di menta
- un pizzico di cannella

Frullato di autunno

- 1 caco + i chicchi di 1 melograna + 1 mela
- 1 carota
- 4 noci brasiliane
- 1 cucchiaio di semi di girasole
- 1 pizzico di noce moscata
- alcune foglie di melissa

Frullato d'inverno

- Frutta: ½ avocado + 1 pera + 1 kiwi
- 2 cm di radice di zenzero
- 8 anacardi
- 1 cucchiaio di pinoli
- 1 pizzico di timo
- alcune foglie di salvia

Frullato dissetante

- scegliete frutta fresca acquosa: fragole, mela e pera
- 2 cm di radice di zenzero
- 4 mandorle
- 1 cucchiaio di semi di chia
- 1 pizzico di curcuma
- qualche fogliolina di menta

LA MELA

Da Adamo ed Eva in poi il successo della mela non ha mai conosciuto battute di arresto. *Malum* in latino, che significa contemporaneamente frutto del melo e del male, in realtà è un alimento eccezionale dalle proprietà insostituibili. Disponibile in ogni periodo dell'anno, la sua maturazione naturale va da fine agosto a metà settembre. Contiene circa l'85% di acqua e per la restante parte carboidrati, sali minerali e vitamine (soprattutto A, C, E, ma anche del gruppo B, in particolare B1, che compensa stanchezza e nervosismo, e B2, che sostiene la digestione e protegge le mucose dalla bocca all'intestino, e B3, che protegge la pelle, favorisce la circolazione sanguigna e aiuta la digestione). Ricordate la mela d'oro che Paride regalò ad Afrodite? La mela è da sempre associata all'idea di bellezza, e non solo per via del contenuto di acqua, vitamine e minerali, che sostengono il trofismo di pelle, unghie e capelli. Una mela al giorno leva il medico di torno, recita il detto, ed è vero. Cerchiamo di capire perché.

1. Nella varietà e abbondanza del nostro corredo enzimatico è racchiuso il segreto della nostra longevità. Gli enzimi sono sostanze proteiche fondamentali in tutti i processi vitali. Possiamo «ricaricare» la nostra riserva di enzimi attraverso l'alimentazione e sapete quale frutto ne contiene in enorme quantità? Proprio la mela. Questa caratteristica pone la mela in quella esigua categoria di frutti (assieme a papaya e ananas) che possono essere mangiati dopo i pasti, perché grazie ai loro enzimi sostengono la digestione.

2. Perché invecchiamo? Recenti studi identificano nei legami di glicazione cellulare la reale causa di degenerazione e invecchiamento. Ogni volta che mangiate zuccheri (più sono raffinati peggio si comportano), questi possono legarsi alle proteine o ai grassi. Queste molecole complesse sporcano il nostro organismo e rallentano lo svolgimento dei nostri processi vitali, accelerando l'invecchiamento. La mela è un naturale ipoglicemizzante, significa che contribuisce con le sue fibre a rallentare l'assorbimento degli zuccheri. L'azione di riduzione dei livelli di glicemia ematica è sostenuta anche dal suo contenuto di polifenoli, sostanze antiossidanti. Per queste ragioni questo frutto è molto consigliato in caso di diabete, perché se da un lato migliora il tenore di zuccheri nel sangue, dall'altro l'azione antiossidante dei polifenoli mitiga la degenerazione delle cellule del pancreas.

3. La mela in diversi studi ha dimostrato di regolare anche l'equilibrio del profilo lipidico abbassando i livelli di colesterolo cattivo.

Ma tutte le mele sono uguali? Esistono più di 2000 varietà diverse di mele e se tutte celano il tesoro delle loro proprietà nutritive particolari, non tutti i sistemi di coltivazione sono adatti a preservarne le qualità. Evitate le mele di coltivazioni intensive che subiscono numerosi trattamenti con fitofarmaci nell'ultima settimana, prima di essere raccolte. Cercate piccoli produttori locali e, se scovate qualche piccolo tesoro nascosto, fatemelo sapere!

IL MIELE

Il miele è uno degli alimenti che richiedono alla natura più fatica per essere prodotti: per fare un chilo di miele le api visitano più di due milioni di fiori. Quando parlo di miele intendo naturalmente quello artigianale e non quello industriale, non è difficile da reperire e riconoscere. Si riconosce dall'odore, che deve essere pungente e forte. Dal sapore, ricco di sfumature e non semplicemente dolce: lo sono i prodotti industriali o derivanti da alveari ai quali sia stata fornita una grossa quantità di zucchero. Come, zucchero alle api? Purtroppo sì, l'apicoltore moderno spesso fornisce supporti proteici o zuccherini alle sue colonie di api, a seconda della stagione. I supporti proteici vengono dati nelle stagioni in cui il polline non è naturalmente presente, per fare in modo che le api continuino il loro lavoro di produzione. Gli integratori zuccherini invece vengono somministrati quando all'alveare viene sottratto troppo miele per cui, nei mesi più freddi, le api si ritrovano senza scorte di cibo.

Le caratteristiche organolettiche e le relative differenze terapeutiche delle numerose varietà di miele dipendono dai fiori che sono stati utilizzati dalle api per produrlo.
Di solito quello che proviene da un solo fiore è considerato migliore, perché sapore e aroma sono riconoscibili e caratteristici, tuttavia il miele millefiori nasconde virtù incredibili ed è il più «naturale», essendo il prodotto della naturale miscelazione all'interno dell'alveare del nettare raccolto dalle api.
Le diverse tipologie di miele hanno caratteristiche e proprietà che possono essere impiegate per intervenire su un ampio ventaglio di disturbi. Il miele di conifere è indicato per curare le bronchiti, il rododendro per i reumatismi e per le affezioni dell'albero bronchiale, la lavanda per l'apparato genitale femminile, l'arancio e il tiglio per l'insonnia, il timo per il raffreddore, il rosmarino per le malattie del fegato e della gola, l'eucalipto per la tosse, l'acacia per il diabete.

Come riconoscere il miele di buona qualità

Per essere sicuri che il miele che state acquistando non sia alterato da processi industriali non sarà sufficiente comprarlo in un bel barattolino di vetro, magari con sopra un centrino decorativo. Mi è personalmente capitato di trovare dei prodotti pessimi anche in alcuni mercatini in cui il miele veniva presentato come miele grezzo e artigianale ma che era tutt'altro.

Nella maggior parte dei casi il miele artigianale, non pastorizzato e non centrifugato, ha un colore giallo opaco, bruno-ambra o bruno-castagno (in ogni caso non semitrasparente ma discontinuo e simile a quello della cera d'api) e tende a cristallizzare nei mesi più freddi e a rimanere fluido nei mesi più caldi. Se il miele viene riscaldato oltre i 42 °C perde però le sue proprietà vitali e la capacità tipica di addensarsi e cristallizzarsi con il corso del tempo. Considerando che la temperatura di pastorizzazione del miele industriale è di ben 77-78°C, ecco il motivo per cui, anche nei mesi più rigidi dell'inverno, il miele industriale mantiene un aspetto fluido, omogeneo e trasparente.

Il miele è un dolcificante o un alimento?

Usato e conosciuto fin dalla preistoria, nell'antichità il miele era usato non solo come dolcificante ma anche come medicamento, per uso sia interno che esterno, nonché come conservante per alimenti. Il miele, composto per il 95 per cento da glucosio e fruttosio, è però un alimento completo e altamente energizzante in quanto contiene anche polisaccaridi, acidi organici, ormoni (acetilcolina e sostanze per la crescita), vitamine B1, B2, PP, acido pantotenico, B6, biotina e vitamina C, sali minerali e oligoelementi (magnesio, silicio, fosforo, zolfo, manganese, potassio, sodio, calcio, rame, ferro, cloro, cromo, zinco), enzimi (diastasi, fosfatasi, invertasi e glucosio ossidasi), sostanze aromatiche, amminoacidi (treonina, fenilalanina, leucina, isoleucina, arginina, lisina, serina, valina, cistina e prolina) e inibine, che sono sostanze ad azione antibatterica.

Bisognerà evitare con la massima attenzione il miele non genuino, in quanto il rischio di zuccheri aggiunti è molto elevato nei prodotti industriali e potrebbe provocare pericolose e incontrollabili iperglicemie.

I preziosi benefici del miele

- Il miele è ricco di principi vitali essenziali il cui contenuto in zuccheri, tra cui la mannite, lo rende blandamente lassativo; questa azione terapeutica può essere potenziata utilizzandolo quotidianamente al mattino, a digiuno. Dolcificate un bicchiere di acqua tiepida a cui avrete aggiunto il succo (meglio se filtrato) di un limone. Bevetelo con la cannuccia per non intaccare lo smalto dei denti.
- Il miele è dotato di un potere disinfettante interno ed esterno, ha azione tonico-digestiva e antiacida per lo stomaco, è un antibiotico naturale e per questo motivo ha spesso azione febbrifuga, inoltre esercita un'azione sedativa sul sistema nervoso, rilassa e distende, migliora sia il tono psichico che l'equilibrio sonno-veglia, stimolando la serotonina.
- Il miele migliora la vostra concentrazione. Grazie agli zuccheri biologicamente disponibili a lento rilascio (perché legati a oligoelementi), il miele migliora infatti la capacità del lavoro cerebrale.
- Il miele, per il contenuto proteico, vitaminico e di minerali, tonifica e ristruttura i muscoli, senza alterare i livelli ematici di glucosio e, quindi, previene i rischi di iperglicemia, responsabile di collassi e perdite di coscienza. Per tutte queste ragioni suggerisco di utilizzare un cucchiaino di miele prima del workout.

SCHEMA GIORNALIERO PER LA FASE 1

In questo schema troverete la scansione della giornata tipo nella fase 1, completa di workout, alimentazione, stretching e respirazione. Per la scelta degli ingredienti del frullato consultate la tabella di p. 139-143.

GIORNO 1

Appena svegli impostiamo il diario dei risultati. Il momento ideale per prendere le misure è al mattino dopo i bisogni fisiologici. Poi annotatele su questa tabella.

Peso	
Altezza	
Circonferenza torace	
Circonferenza vita	
Circonferenza fianchi	

Dopo aver preso le misure bevete 500 ml di acqua.

Spuntino pre-workout: 1 cucchiaio di miele di acacia + 4 mandorle

Workout: passeggiata metabolica

Colazione: frullato metabolico

Pranzo: frullato metabolico

Stretching prima di cena

Cena: frullato metabolico

15 minuti prima di dormire: esercizio di respirazione diaframmatica circolare

GIORNI 2-3

Spuntino pre-workout: 1 cucchiaino di miele di acacia + frutta secca a scelta

Workout: passeggiata metabolica

Colazione: frullato metabolico

Pranzo: frullato metabolico

Stretching prima di cena

Cena: frullato metabolico

15 minuti prima di dormire: esercizio di respirazione diaframmatica circolare

TABELLA DEGLI INGREDIENTI DI STAGIONE PER IL FRULLATO METABOLICO

GENNAIO

Radici: Barbabietole, carote, curcuma, daikon, pastinaca, sedano-rapa, topinambur, zenzero.
Frutta: Arance, cedri, clementine, kiwi, limoni, mandarini, mele, pere, pompelmi.
Semi oleaginosi: Anacardi, armelline dolci, canapa, chia, girasole, lino (se non si hanno problemi tiroidei), mandorle, noci, noci brasiliane, noci macadamia, pinoli, sesamo, zucca.
Erbe aromatiche: Alloro, aneto, cerfoglio, citronella, coriandolo, finocchio, maggiorana, menta, origano, prezzemolo, rosmarino, salvia, timo.
Spezie: Cannella, coriandolo, curcuma, noce moscata, senape, zenzero.

FEBBRAIO

Radici: Barbabietole, carote, daikon, pastinaca, porro, sedanorapa, topinambur, zenzero.
Frutta: Arance, cedri, clementine, kiwi, limoni, mandarini, mele, pere, pompelmi.
Semi oleaginosi: Anacardi, armelline dolci, canapa, chia, girasole, lino (se non si hanno problemi tiroidei), mandorle, noci, noci brasiliane, noci macadamia, pinoli, sesamo, zucca.
Erbe aromatiche: Alloro, aneto, cerfoglio, citronella, coriandolo, finocchio, maggiorana, menta, origano, prezzemolo, rosmarino, salvia, timo.
Spezie: Cannella, coriandolo, curcuma, noce moscata, senape, zenzero.

MARZO

Radici: Carote, sedanorapa, topinambur, zenzero.
Frutta: Arance, cedri, kiwi, limoni, mandarini, mele, pompelmi, pere.
Semi oleaginosi: Anacardi, armelline dolci, canapa, chia, girasole, lino (se non si hanno problemi tiroidei), mandorle, noci, noci brasiliane, noci macadamia, pinoli, sesamo, zucca.
Erbe aromatiche: Alloro, aneto, cerfoglio, citronella, coriandolo, finocchio, maggiorana, menta, origano, prezzemolo, rosmarino, salvia, timo.
Spezie: Cannella, coriandolo, curcuma, noce moscata, senape, zenzero.

APRILE

Radici: Aglio, carote, cipollotto, ravanelli, zenzero.
Frutta: Arance, fragole, kiwi, limoni, mele, nespole, pere.
Semi oleaginosi: Anacardi, armelline dolci, canapa, chia, girasole, lino (se non si hanno problemi tiroidei), mandorle, noci, noci brasiliane, noci macadamia, pinoli, sesamo, zucca.
Erbe aromatiche: Alloro, aneto, basilico, borragine (fiori e foglie), cerfoglio, citronella, coriandolo, crescione, finocchio, maggiorana, menta, origano, prezzemolo, rosmarino, salvia, timo.
Spezie: Cannella, coriandolo, curcuma, noce moscata, senape, zenzero.

MAGGIO

Radici: Carote, ravanelli, zenzero.
Frutta: Ciliegie, fragole, kiwi, lamponi, mele, nespole, pere, pompelmi.
Semi oleaginosi: Anacardi, armelline dolci, canapa, chia, girasole, lino (se non si hanno problemi tiroidei), mandorle, noci, noci brasiliane, noci macadamia, pinoli, sesamo, zucca.
Erbe aromatiche: Alloro, aneto, basilico, borragine (fiori e foglie), cerfoglio, citronella, coriandolo, crescione, finocchio, maggiorana, menta, origano, portulaca, prezzemolo, rosmarino, salvia, timo.
Spezie: Cannella, coriandolo, curcuma, noce moscata, senape, zenzero.

GIUGNO

Radici: Carote, ravanelli, zenzero.
Frutta: Albicocche, amarene, ciliegie, fichi, fragole, lamponi, meloni, mirtilli, pesche, susine.
Semi oleaginosi: Anacardi, armelline dolci, canapa, chia, girasole, lino (se non si hanno problemi tiroidei), mandorle, noci, noci brasiliane, noci macadamia, pinoli, sesamo, zucca.
Erbe aromatiche: Alloro, aneto, basilico, borragine (fiori e foglie), cerfoglio, citronella, coriandolo, crescione, finocchio, maggiorana, menta, origano, portulaca, prezzemolo, rosmarino, salvia, timo.
Spezie: Cannella, coriandolo, curcuma, noce moscata, senape, zenzero.

LUGLIO

Radici: Carote, ravanelli, zenzero.
Frutta: Albicocche, amarene, anguria, ciliegie, fichi, fragole, lamponi, meloni, mirtilli, more, pere, pesche, prugne, susine.
Semi oleaginosi: Anacardi, armelline dolci, canapa, chia, girasole, lino (se non si hanno problemi tiroidei), mandorle, noci, noci brasiliane, noci macadamia, pinoli, sesamo, zucca.
Aromi: Basilico, borragine (fiori e foglie), crescione, melissa, menta, portulaca, salvia.
Erbe aromatiche: Alloro, aneto, basilico, borragine (fiori e foglie), cerfoglio, citronella, coriandolo, crescione, finocchio, maggiorana, menta, origano, portulaca, prezzemolo, rosmarino, salvia, timo.
Spezie: Cannella, coriandolo, curcuma, noce moscata, senape, zenzero.

AGOSTO

Radici: Barbabietole, carote, ravanelli, zenzero.
Frutta: Albicocche, angurie, fichi, fragole, lamponi, mele, meloni, mirtilli, more, pere, pesche, prugne, ribes, susine, uva.
Semi oleaginosi: Anacardi, armelline dolci, canapa, chia, girasole, lino (se non si hanno problemi tiroidei), mandorle, noci, noci brasiliane, noci macadamia, pinoli, sesamo, zucca.
Erbe aromatiche: Alloro, aneto, basilico, borragine (fiori e foglie),

cerfoglio, citronella, coriandolo, finocchio, maggiorana, menta, origano, portulaca, prezzemolo, rosmarino, salvia, timo.
Spezie: Cannella, coriandolo, curcuma, noce moscata, senape, zenzero.

SETTEMBRE

Radici: Barbabietole, carote, cipollotti, ravanelli, zenzero.
Frutta: Fichi, fichi d'India, lamponi, mele, meloni, mirtilli, more, pere, pesche, prugne, susine, uva.
Semi oleaginosi: Semi di sesamo, chia, zucca, girasole, lino (se non si hanno problemi tiroidei), mandorle, noci, anacardi, noci brasiliane, semi di canapa, pinoli, armelline dolci, macadamia.
Erbe aromatiche: Alloro, aneto, basilico, borragine (fiori e foglie), cerfoglio, citronella, coriandolo, finocchio, maggiorana, melissa, menta, origano, prezzemolo, rosmarino, salvia, timo.
Spezie: Cannella, coriandolo, curcuma, noce moscata, senape, zenzero.

OTTOBRE

Radici: Barbabietole, carote, porro, ravanelli, pastinaca, topinambur, zenzero.
Frutta: Clementine, cachi, lamponi, limoni, mele, pere, uva.
Semi oleaginosi: Anacardi, armelline dolci, canapa, chia, girasole, lino (se non si hanno problemi tiroidei), mandorle, noci, noci brasiliane, noci macadamia, pinoli, sesamo, zucca.
Erbe aromatiche: Alloro, aneto, basilico, cerfoglio, citronella, coriandolo, finocchio, maggiorana, melissa, menta, origano, prezzemolo, rosmarino, salvia, timo.
Spezie: Cannella, coriandolo, curcuma, noce moscata, senape, zenzero.

NOVEMBRE

Radici: Barbabietole, carote, pastinaca, porro, zenzero.
Frutta: Arance, clementine, cachi, kiwi, limoni, mandarini, mele, pere, pompelmi, uva.
Semi oleaginosi: Anacardi, armelline dolci, canapa, chia, girasole,

lino (se non si hanno problemi tiroidei), mandorle, noci, noci brasiliane, noci macadamia, pinoli, sesamo, zucca.
Erbe aromatiche: Alloro, aneto, basilico, cerfoglio, citronella, coriandolo, finocchio, maggiorana, menta, origano, prezzemolo, rosmarino, salvia, timo.
Spezie: Cannella, coriandolo, curcuma, noce moscata, senape, zenzero.

DICEMBRE

Radici: Barbabietole, carote, curcuma, daikon, pastinaca, porro, zenzero.
Frutta: Arance, cachi, cedri, clementine, kiwi, limoni, mandarini, mele, pere, pompelmi, uva.
Semi oleaginosi: Anacardi, armelline dolci, canapa, chia, girasole, lino (se non si hanno problemi tiroidei), mandorle, noci, noci brasiliane, noci macadamia, pinoli, sesamo, zucca.
Erbe aromatiche: Alloro, aneto, basilico, cerfoglio, citronella, coriandolo, finocchio, maggiorana, menta, origano, prezzemolo, rosmarino, salvia, timo.
Spezie: Cannella, coriandolo, curcuma, noce moscata, senape, zenzero.

CAPITOLO 6

La fase 2: pancia piatta in sette giorni

Nella seconda fase del nostro percorso, che durerà sette giorni, reintrodurremo alimenti in forma solida.

Resteranno esclusi tutti i gruppi alimentari che tendono a sostenere uno stato infiammatorio generale dell'organismo, quindi carne, affettati, lattosio, caseina, glutine, lievito, aceto, soia, zucchero. Privilegeremo invece frutta fresca e secca, verdura cruda e cotta, pseudocereali in chicchi che naturalmente non contengono glutine, legumi, pesce e uova.
Bilanceremo l'alimentazione in modo da fornire all'organismo carboidrati, proteine, grassi buoni, fibre, vitamine e minerali. Manterremo bassa l'insulina per favorire la lipolisi.
La scelta preponderante di mangiare alimenti freschi e crudi ha la finalità di apportare al nostro organismo grandi quantità enzimatiche, che sostengono la digestione e rallentano i processi degenerativi. Le verdure crude infatti sono ricche di enzimi vegetali, che il processo di cottura distrugge quasi integralmente. Ecco perché è importante assumere porzioni di frutta e verdura crude giornalmente.
Un'altra raccomandazione che accompagnerà il regime ali-

mentare della fase 2 è quella di consumare, nell'arco della stessa giornata, un solo tipo di proteina. Ogni gruppo alimentare viene «trattato» dal nostro apparato digerente attraverso un determinato «corredo» enzimatico in abbinamento a un certo ph.[7] Evitare di mescolare gli alimenti aiuta l'intestino a lavorare meglio, riduce gli stati infiammatori e migliora l'assimilazione dei nutrienti.

Prima di passare a illustrarvi lo schema giornaliero per la fase 2, come sempre comprensivo di alimentazione, workout e respirazione, approfondiamo qualche concetto base su *come* dovremmo mangiare per trarre il massimo beneficio da ogni pasto. Una buona alimentazione non si basa solo su *cosa* introduciamo nella nostra dieta, ma anche sul modo in cui ci predisponiamo poi a mangiarlo e sull'ordine in cui lo facciamo.

Prima di tutto respirate

Senza ombra di dubbio il primo alimento che dobbiamo ingerire, all'inizio di un pasto, è l'aria che respiriamo.

Respirare, oltre a consentire che tutti i processi vitali abbiano luogo, ci permette di focalizzarci meglio sul qui ed ora e questo ci aiuta a dare il giusto peso al gesto che stiamo per compiere: consumare il nostro pasto. Mangiare rappresenta l'atto più importante che ci prestiamo a svolgere durante la nostra

7 *Il ph si dice acido quando il suo valore è basso e inferiore a 7, e alcalino quando il valore è alto e superiore a 7. L'ambiente dello stomaco è acido (e questo ha un effetto antibatterico) e ha un valore normalmente al di sotto di 2. La digestione funziona meglio con livelli medi, perché gli enzimi non lavorano bene con valori troppo acidi né troppo alcalini. Gli alimenti che ingeriamo sono a loro volta acidi o basici: introdurre troppi alimenti acidi (carni rosse, uova, formaggi stagionati, agrumi ecc.) acidifica lo stomaco, ed ecco perché si fa poi fatica a digerire.*

giornata, è il gesto con cui nutriamo il nostro corpo e offriamo a noi stessi una soddisfazione non solo fisica ma anche mentale, attraverso l'attivazione di alcuni neurotrasmettitori. Se saremo presenti e lucidi, non avremo lo stimolo istintivo che ci porta a mangiare con estrema voracità. Prima di iniziare fate sempre due bei respiri profondi: vi aiuteranno a raggiungere la calma, la presenza e la consapevolezza necessarie. Ma non solo! Bastano due respiri profondi per riequilibrare il nostro sistema nervoso autonomo e determinare una leggera prevalenza del sistema parasimpatico sul simpatico. I processi digestivi sono più efficaci in una condizione di parasimpaticotonia.
La nostra giornata è scandita da un delicato equilibrio tra sistema nervoso simpatico (legato allo stato d'allerta) e parasimpatico (legato alla lentezza, alla quiete). Al mattino dobbiamo «combattere», affrontare tutti gli impegni della giornata, e col passare delle ore capita che certe situazioni o persone ci facciano innervosire o stressare: tutto questo ci porta in una crescente condizione di simpaticotonia. Se non ci fermiamo mai con delle piccole pause, staccando il sistema simpatico e attivando, anche per brevi momenti, il parasimpatico, arriveremo a sera incapaci di rilassarci, motivo per il quale tenderemo a soffrire d'insonnia.
Mangiare con consapevolezza ci fornirà i giusti «pit stop» e questo, oltre a migliorare la nostra digestione, ci aiuterà ad affrontare meglio la giornata nel suo insieme.

La buona digestione inizia in bocca

Sedersi a tavola per consumare un pasto dovrebbe essere un gesto di lentezza e di cura verso noi stessi. Quando qualcuno,

afflitto da cattiva digestione e pesantezza, mi chiede consiglio per stare meglio, io rispondo sempre che masticare è la freccia migliore che abbiamo al nostro arco, se davvero vogliamo aiutare il nostro intestino.
La frenesia degli impegni a cui siamo sottoposti spesso ci impone di mangiare velocemente, e così facendo abbiamo dimenticato come si fa a masticare. Quante volte avete consumato un pasto in piedi al bar, tra un appuntamento e l'altro, o l'avete ingurgitato di fretta pensando alle mille cose che vi attendevano subito dopo?
Ogni distretto anatomico ha la sua funzione e il suo compito. La bocca, attraverso i denti e la saliva, ha la funzione di trasformare un cibo solido in poltiglia. Lo stomaco, grazie ai succhi gastrici, ha il compito di rendere liquido il cibo e inviarlo all'intestino. L'intestino ha il compito di assorbire il buono e lasciar andare le scorie.
Se non mastichiamo correttamente, trasformando gli alimenti da solidi a semi-liquidi, sovraccarichiamo lo stomaco e l'intestino di un surplus di lavoro.
I disturbi derivanti da una cattiva masticazione possono essere molteplici, dal reflusso gastroesofageo alla gastrite, al meteorismo, pesantezza digestiva, stipsi, scariche e malassorbimento.
Alcuni suggeriscono di masticare trenta volte un boccone prima di deglutirlo. Per quanto questa affermazione possa essere corretta, mi son sempre trovato in disaccordo perché ci trasformeremmo in ragionieri e calcolatori della masticazione a tavola: che stress! Al contrario, come ho detto, il momento in cui ci sediamo per consumare il pasto deve essere un'oasi di piacere e di lentezza. Sappiate che non esiste un numero preciso di volte da tenere a mente, ma solo una semplice massima di buon senso: si mastica fino a sminuzzare il boccone, prima di deglutirlo.

Una attenta masticazione porterà con sé anche un piacevole effetto collaterale: ci darà modo di gustare i sapori e gli odori degli alimenti che stiamo mangiando, concedendoci il tempo di far arrivare i segnali di sazietà corretti all'ipotalamo, che invierà in risposta l'ordine di smettere di mangiare. Magicamente ci ritroveremo ad alzarci da tavola sazi e soddisfatti, senza nessun senso di appesantimento e di sonnolenza post-prandiale.

Andiamo con ordine

Sono sempre stato goloso, fin da piccolo. Ricordo le domeniche a pranzo dalla nonna, quando chiedevo il permesso di mangiare il dolce per primo. Alle legittime proteste di mia madre, mia nonna replicava puntualmente dicendo: «Lascia mangiare il dolce al bambino, tanto tutto nello stomaco deve andare».
Se in prima battuta questa affermazione può sembrare vera, in realtà l'ordine con cui introduciamo i cibi nel nostro corpo condiziona fortemente la biochimica dell'organismo e le nostre capacità digestive e di assimilazione dei nutrienti.
L'ordine corretto con cui andrebbero consumati gli alimenti, per un loro perfetto assorbimento che ci eviterà quel fastidioso senso di gonfiore e pesantezza che spesso capita di provare dopo mangiato, è il seguente:

1 › acqua
2 › verdure crude
3 › piatto principale (carboidrati o proteine)
4 › verdure cotte.

Prima l'acqua

Bere due bicchieri di acqua naturale a temperatura ambiente prima del pasto, anziché durante, assicura una serie di benefici:

› prepara stomaco e intestino a ricevere il cibo.

› per via meccanica determina un più veloce raggiungimento del senso di sazietà.

› bevuta a stomaco vuoto bypassa velocemente lo stomaco e raggiunge una porzione intestinale ricca di bicarbonati che, così diluiti, vengono assimilati dalla mucosa intestinale entrando in circolo, alcalinizzando l'ambiente e ringiovanendo di fatto il nostro organismo.

Se invece beviamo acqua durante o subito dopo i pasti una delle possibili conseguenze è la fastidiosa sensazione di gonfiore addominale che affligge molte persone, subito dopo aver mangiato. L'acqua infatti, bevuta mentre si mangia, non è più in grado di attraversare velocemente lo stomaco - occupato dal cibo - per raggiungere il tratto intestinale, e diluirà la concentrazione dei succhi gastrici e il loro ph. Immaginate lo stomaco come una schiacciasassi: introducendo acqua durante i pasti blocchiamo il lavoro delle mole.

L'intestino riceverà di conseguenza macigni troppo grossi e per assimilarli richiederà un super lavoro ad alcuni ceppi batterici che lo abitano. Questi, a loro volta, produrranno fermentazione, nel caso in cui i macigni siano carboidrati, e putrefazione nel caso siano proteine. In entrambi i casi il risultato finale - ovvero il sintomo - sarà un bell'addome globoso e talvolta dolorante.

IL MAGICO POTERE DELL'ACQUA AL RISVEGLIO

Ogni animale al risveglio ha l'abitudine di stiracchiarsi. Questo perché muscoli, tendini e ossa si riattivano grazie a questi semplici e istintivi gesti. Come facciamo a stiracchiare i nostri organi interni? Il modo migliore è bere acqua appena svegli, subito dopo il digiuno notturno. Oltre a idratare e riattivare gli organi interni, aiuteremo il glucagone ad agire meglio. Al mattino a digiuno infatti il nostro equilibrio biochimico vede una maggiore presenza di glucagone rispetto all'insulina. Il glucagone alto attiva la beta ossidazione degli acidi grassi, processo chiave nella conversione dei grassi di deposito in energia. Questo processo è possibile solo in presenza di acqua e ossigeno.
Quindi respirate a fondo e bevete due bicchieri di acqua naturale a temperatura ambiente per dare a voi stessi una bella spinta metabolica e bruciare gli accumuli di grasso fin dal mattino.

Le verdure crude

Spesso durante le consulenze, quando propongo di inserire una maggiore quantità di verdure crude nella dieta giornaliera, mi capita di sentirmi rivolgere questa lamentela: «Dottore, io l'insalata proprio non la digerisco».
Nella nostra cultura alimentare siamo portati a iniziare il pasto con cibi più sostanziosi: il «primo» di pasta, il «secondo» di carne o pesce, e le verdure vengono lasciate sempre verso la fine. In questo modo il reale contributo delle verdure crude al sostegno della digestione viene completamente annullato.

La verdura cruda, oltre a contenere fibre, minerali e vitamine, come abbiamo visto è particolarmente ricca di enzimi vegetali. Il nostro organismo per digerire utilizza una grande quantità di enzimi: in parte li produce il nostro stesso corpo, e in parte possiamo introdurli noi attraverso l'alimentazione.
Iniziare il pasto con una porzione di verdura cruda ci fornisce un super apporto di enzimi supplementari che alleggerisce il peso del lavoro digestivo da parte di stomaco, intestino, fegato e pancreas.
Una porzione di verdura cruda a pasto è in grado di modulare l'indice glicemico di ciò che mangiamo, rallentando grazie alle fibre la velocità di assorbimento dello zucchero. Determina inoltre maggiore senso di sazietà.

La portata principale: carboidrati o proteine

Dopo l'acqua e gli enzimi della verdura, stomaco e intestino sono pronti e saranno in grado di accogliere e processare in maniera eccellente le proteine o i carboidrati dei cibi che abbiamo sul menù. Attenzione solo a non mischiare troppe proteine differenti: se sceglierete le proteine vegetali dei legumi, per esempio, non usateli come contorno di una bistecca di vitello...

Le verdure cotte

Il verde va sempre bene, ricordatelo come regola generale. Crudo è essenziale, ma anche cotto è importante, perché con il loro generoso apporto di fibre le verdure cotte aiutano il

transito intestinale, evitando la stipsi e l'accumulo di detriti nella mucosa, che potrebbero dar luogo a processi di fermentazione e putrefazione, quindi gonfiore addominale.
Ma c'è dell'altro. Una volta ingerito, il cibo rilascia tutti i suoi nutrienti al nostro organismo grazie alla digestione e all'intervento delle colonie di batteri che abitano il nostro apparato digerente e costituiscono il cosiddetto microbiota. Per ottenere alcune vitamine, ad esempio, abbiamo assoluta necessità del lavoro del microbiota intestinale. Le fibre nutrono questi batteri. Fornire un'adeguata quantità di verdure cotte al termine del pasto garantirà al nostro microbiota la giusta energia per svolgere al meglio il lavoro di sintesi e di assimilazione.

Apriamo le gabbie, liberiamoci dalla bilancia e ragioniamo in porzioni

Il valore calorico di un alimento è l'indice di quanto calore può sviluppare se bruciato in un calorimetro. Ma noi non siamo delle stufe e il cibo fornisce energia al nostro corpo attraverso processi biochimici, non termici. Per questo motivo il concetto di calorie è ormai superato: se il nostro organismo funzionasse realmente sulla base di un mero conto calorico non ci sarebbe nessuna differenza tra 100 calorie assunte attraverso una bibita gassata e 100 calorie derivanti da un frutto.
Proseguiamo con questo esempio, per quanto paradossale, e vediamo meglio quale differenza c'è tra una bottiglietta di Coca Cola e un frutto. Una bibita gassata da 33 ml (Coca Cola, Fanta o altro) contiene in media 35 g di carboidrati. L'equivalente di 7 zollette di zucchero, di un melone di quelli piccoli o mezza anguria.

Dove sta allora la differenza tra la bottiglietta di Coca fredda, così desiderabile in un caldo pomeriggio estivo, o mezza anguria? Intanto quando beviamo una bibita gassata stiamo bevendo zucchero liquido. Liquido, appunto, così che non «riempie» lo stomaco e non attiva il senso di sazietà: con facilità potremmo bere di seguito anche due o tre lattine. Al contrario, se mangiassimo un melone intero ci sazieremmo e difficilmente riusciremmo a mangiarne un secondo o un terzo.
Il secondo aspetto da mettere in evidenza è quello delle calorie «vuote». Il melone, come tutti gli alimenti che la natura ci fornisce spontaneamente, contiene un universo di micronutrienti: minerali, vitamine ma non solo. Quando mangiamo un frutto assistiamo ad un piccolo miracolo, ovvero i nutrienti in esso contenuti possono essere facilmente assimilati grazie alla quota di micronutrienti ed enzimi contenuti nel frutto stesso: è come quando da Ikea compriamo un comodino, e loro ci forniscono non solo il legno ma anche gli attrezzi per poterlo montare.
La bibita gassata invece non contiene altri costituenti utilizzabili dal nostro organismo che non siano lo zucchero: una volta nel nostro corpo, determinerà solo un accumulo di grasso, producendo oscillazioni pericolose tra glicemia e insulina.
Le calorie assunte sono le stesse, ma la differenza tra ciò che è successo nel nostro corpo nell'uno o nell'altro caso è abissale. Per riprendere la metafora dell'Ikea, di poco prima, potremmo dire che assumere cibo raffinato (di cui le bibite gassate fanno parte) equivale a riporre i nostri indumenti su un cumulo di pezzi di legno accatastati in maniera disordinata, anziché in un bel mobile montato come si deve.
Se abbandoniamo il conto calorico, come ci dobbiamo regolare allora per le quantità di cibo da assumere?

Durante il percorso del Restart metabolico vi chiederò di alimentarvi esclusivamente con cibi naturali. L'enorme vantaggio che ne deriva è che sono tutti ricchi di micronutrienti, e contribuiranno a fornire all'organismo tutta l'energia di cui ha bisogno. Questo è il segreto degli animali selvatici, che mangiano a sazietà senza mai ingrassare.

L'idea è quindi quella di mangiare a sazietà senza pesare gli alimenti con una bilancia, ma servendoci degli strumenti che madre natura ci ha donato. Utilizzeremo le nostre mani per quantificare la dose di frutta secca, semi oleaginosi, cereali e pseudocereali in chicchi.

La quantità di riso che la vostra mano riesce a prendere è la vostra porzione ideale.

La quantità di frutta che riuscirete a trasportare dalla dispensa al tavolo sarà la vostra porzione ideale.

La quantità di verdura cruda o cotta che entrerà in un piatto sarà la vostra porzione per quel pasto.

Più facile, più liberatorio, più «giusto».

L'UOVO

Un alimento completo

Gli antichi consideravano l'uovo un alimento fondamentale per la propria dieta. Sembra che già gli egizi mangiassero le uova dei propri volatili da cortile. Galeno (130-201 d.C), considerato il padre della farmacia, riteneva che questo alimento fosse essenziale nella dieta, soprattutto degli anziani, e i romani consumavano una grande quantità di uova, specialmente sode e sempre all'inizio dei pasti e lo reputavano un simbolo di fecondità e rinascita. Nel Medioevo il medico Antimo, vissuto alla fine del 400 d.C. alla corte ravennate del re ostrogoto Teodorico il Grande, sosteneva che mangiare uova a digiuno assicurava vigore fisico superiore a qualsiasi altro alimento.

L'alto rispetto che gli antichi nutrivano verso le uova è stato oggi confermato anche dalle più recenti ricerche di biochimica degli alimenti. Confortato dalla tradizione e dalla ricerca, ho individuato nell'uovo il primo alimento da introdurre dopo i primi tre giorni di depurazione previsti dal metodo.

L'uovo è facilmente digeribile, così come il latte materno per il lattante, e contiene tutti i nutrienti di cui il nostro organismo ha necessità. Ha un basso indice glicemico, quindi consentirà all'organismo di tenere basso il livello di glicemia e alto il glucagone, promuovendo la mobilizzazione delle riserve di grasso. Contiene gli amminoacidi necessari e i grassi buoni, oltre alle vitamine e ai minerali.

Possiamo considerarlo l'alimento per eccellenza, che promuoverà il dimagrimento ma non lo svuotamento muscolare. Quando iniziamo a perdere peso occorre impostare un'alimentazione in grado di sostenere da una parte il trofismo muscolare e dall'altra l'elasticità della pelle. L'uovo con la sua particolare concentrazione di principi nutritivi è in grado di sostenere entrambi.

Spesso nelle palestre viene fortemente consigliato un massiccio consumo di albumi d'uovo. Questo in realtà costituisce un errore, perché se in linea teorica i costituenti che aiutano i muscoli a svilupparsi meglio sono concentrati nell'albume, le sostanze che ne attivano la biodisponibilità sono invece contenute nel tuorlo. Ancora una volta la natura non sbaglia, consumare infatti l'uovo nella sua interezza ci assicura un armonioso sviluppo muscolare, mantenendo al tempo stesso una eccellente elasticità cutanea (che ci eviterà l'insorgere di smagliature).

La cottura

Se consumato nella giusta maniera l'uovo è digeribile e non appesantisce il lavoro di fegato e colecisti. Il segreto è: cuocere bene il bianco, senza stracuocere il rosso. Tutte le cotture che consentono di coagulare l'albume e di mantenere il tuorlo morbido sono corrette, al punto tale da rendere l'alimento consigliabile perfino a chi soffre di gastrite. In caso contrario l'albume non ben cotto o peggio ancora crudo irriterà la mucosa gastrica infiammata. Inoltre l'albume crudo crea all'interno dello stomaco una pellicola impermeabile che rallenta lo svuotamento rapido del contenuto acido, favorendo il reflusso gastroesofageo.
Questa stessa proprietà, che ne sconsiglia l'assunzione in soggetti con sensibilità gastroesofagea, può tornare utile in altre circostanze, per esempio per ridurre l'assorbimento dell'alcol. Non per caso molti sommelier usano questo trucco per evitare di ubriacarsi durante il lavoro.
Se invece cuociamo troppo il tuorlo, come accade talvolta con le uova sode quando la superficie del rosso assume la caratteristica colorazione verde, liberiamo una eccessiva quantità di zolfo, che potrebbe indurre eruttazioni e flatulenza.

Uovo e colesterolo

Spesso chi soffre di ipercolesterolemia è molto preoccupato dall'idea di consumare le uova.
Il tuorlo d'uovo ha infatti un alto contenuto di colesterolo, quasi pari alla soglia giornaliera massima da non superare con l'alimentazione (300 mg). Non è il singolo alimento che determina la dislipidemia, ma l'intero contesto dietetico.

Nonostante l'elevato contenuto lipidico, i grassi saturi sono presenti nelle uova in concentrazione molto bassa, mentre sono numerosi gli acidi grassi insaturi come l'acido oleico e linoleico. Nel tuorlo sono inoltre presenti vitamine idrosolubili e liposolubili. Le uova, però, sono anche una fonte di nutrienti essenziali preziosi, a partire dalle proteine contenute nell'albume. Attenzione, ancora una volta, all'albume crudo: contiene avidina, che inibisce l'assimilazione della biotina, o vitamina H, la cui carenza aumenta la possibilità di sviluppare patologie dermatologiche, in particolare dermatiti seborroiche.

Ricordate che non tutte le uova sono uguali. Un sistema di allevamento di tipo intensivo può produrre uova di qualità inferiore, sia per la presenza degli ormoni dello stress, sia per modificazioni della biochimica dell'alimento derivante dall'uso di mangimi poco sani contenenti sostanze chimiche, farine di pesce o carne o, peggio, arricchiti con mais OGM (che provoca uno squilibrio nell'uovo di Omega-6). Scegliete sempre, per quanto possibile, uova provenienti da filiere sicure, biologiche e certificate.

Per quanto riguarda la quantità consigliata: dipende dal peso e dal fabbisogno energetico della persona. In generale il mio consiglio è di non superare mai le due uova a pasto.

RICETTA ALCALINIZZANTE DA SPERIMENTARE

Il guscio dell'uovo, che siamo abituati a buttare, contiene altissime concentrazioni di calcio che possono essere estratte con una ricetta molto antica.
Mettete a bagno un guscio d'uovo, precedentemente lavato e bollito, in un bicchiere contenente succo di limone. Dopo 1 giorno e 1 notte il limone avrà corroso il guscio e il calcio passerà in soluzione. Avrete così ottenuto una bevanda alcalinizzante da bere la sera.

IL RISO INTEGRALE

Il riso ha un alto contenuto di amido, ciononostante la sua forma integrale ha un basso indice glicemico grazie all'alto contenuto di fibre.
Siamo abituati a consumare grandi quantità di riso raffinato, che non solo è stato privato della sua quota di fibre, ma che è anche stato trattato in modo da denaturarne le qualità nutrizionali.
Il riso brillato, in particolare, è un tipo di riso trattato in modo tale che brilli: avete sicuramente presente la lucentezza dei chicchi che trovate in molte confezioni in commercio. Quel particolare effetto si ottiene trattando il chicco raffinato di riso con talco e glucosio. Così facendo non solo si perdono fondamentali nutrienti, soprattutto la quota di amminoacidi del chicco, ma si determina una disponibilità eccessiva dell'amido.
Il riso brillato infatti ha un indice glicemico estremamente nocivo per la salute di chiunque, in maniera particolare nel soggetto diabetico.
Nella sua forma integrale invece il riso contiene tutti gli amminoacidi essenziali, ad eccezione della lisina, motivo per il quale è particolarmente consigliata l'assunzione di riso in associazione ai legumi, che ne sono invece ricchi.
Il riso integrale non contiene glutine ed è da sempre considerato un alimento antinfiammatorio, per la presenza nel fitocomplesso di auxine, una sostanza in grado di ridurre l'infiammazione della mucosa intestinale. L'eccesso di fibre, tuttavia, può creare un altro genere di problemi: un intestino sano beneficia della quota di fibre, che mantengono pulito il lume intestinale e nutrono i batteri del microbiota. In presenza di infiammazione, invece, queste stesse sostanze si comportano come una spazzola abrasiva, acuendo l'infiammazione delle pareti intestinali al punto da poter determinare dolorose coliche, come nel caso di soggetti affetti da rettocolite ulcerosa, morbo di Crohn o, più semplicemente, sindrome del colon irritabile.
Questa controindicazione può essere risolta ricorrendo a particolari tecniche di cottura, per esempio con la preparazione della crema di riso integrale (vedi p. 166).

LA QUINOA

La quinoa è uno pseudocereale che naturalmente non contiene glutine, ma nonostante questo la sua quota proteica è ben rappresentata dalla presenza di tutti gli amminoacidi essenziali.
È ricca di vitamine del gruppo B e il suo alto contenuto di vitamina B2 la rende indicata nel contrastare l'emicrania.
È un alimento completo con un indice glicemico basso, pari a 35. Ricca di vitamine, minerali e sostanze antiossidanti, è un ottimo alimento antinfiammatorio che ha la capacità di stimolare la sintesi endogena di L-carnitina e promuovere la lipolisi.

La L-carnitina viene prodotta dal fegato – a patto che l'insulina sia bassa – a partire da due amminoacidi, lisina e metionina, in presenza di niacina, vitamina B6, vitamina C e ferro. La sua funzione principale è trasportare gli acidi grassi nella membrana del mitocondrio, dove vengono trasformati in energia.
La quinoa è particolarmente ricca di tutti gli «ingredienti» che servono al nostro corpo per produrre questa preziosa molecola, e avendo un indice glicemico basso ne permette l'attivazione della via metabolica mantenendo basse l'insulina e l'infiammazione cronica sistemica.

Focus

IL PESCE

Nella fase 2 del percorso di Restart metabolico entra nell'alimentazione settimanale una categoria di alimenti in grado di apportare proteine di buona qualità e grassi buoni: il pesce.
Qui va fatto un primo grande distinguo: i pesci che vivono in mare aperto, cibandosi naturalmente, hanno una qualità completamente diversa delle carni rispetto a quelli allevati. Nel tempo l'acquicoltura ha fatto enormi progressi, passando dall'uso esclusivo di vasche artificiali all'allevamento in mare. Negli allevamenti in mare, pur alimentandosi in maniera artificiale attraverso mangimi, i pesci hanno comunque a disposizione maggiori quantità di ossigeno e un ricambio pressoché costante dell'acqua, quindi sono preferibili ai soggetti allevati in vasche.
Fortunatamente in Italia è proibito l'uso, per gli allevamenti ittici, di mangimi a base di farine di pollo o manzo, ma fate comunque attenzione alle importazioni a basso prezzo. Ricordo ancora il disgustoso sapore di pollo della mia orata durante una vacanza in Grecia.
Attenzione anche alle dimensioni dei pesci. Sappiamo bene che ormai i nostri mari sono inquinati da metalli pesanti. Più a lungo il pesce ha vissuto e vi ha nuotato dentro, più il metallo sarà concentrato. I metalli pesanti, tra le sostanze inquinanti, sono quelli più dannosi per la nostra salute perché sono un fattore aggravante o determinante di numerose patologie croniche. Gli organi che ne risultano più colpiti sono cervello, fegato, reni ed ossa. Possiamo espellere queste scorie grazie al glutatione, ma se questo è carente nel nostro organismo si producono una permeabilità intestinale e un accumulo ulteriore di metalli pesanti. Quindi cerchiamo di limitare la quantità di metalli pesanti che assumiamo con il pesce, preferendo pesci di cattura a quelli allevati e di piccola dimensione.

Pesce e metabolismo

In quale maniera il pesce può

influenzare positivamente il metabolismo basale?

Il pesce marino è ricco di amminoacidi essenziali e iodio, elementi fondamentali per stimolare la produzione degli ormoni tiroidei. Inoltre il segnale antinfiammatorio degli Omega-3 permette la riduzione del cortisolo endogeno e lo spegnimento della via metabolica rT3, maggiore causa del rallentamento metabolico.

In sostanza il pesce fornisce, tra amminoacidi, iodio e Omega-3 tutti gli ingredienti necessari a un buon funzionamento del metabolismo basale.

Il pesce azzurro

Orate, spigole, tonni e tutto il pesce – con le dovute cautele di cui abbiamo parlato – sono buoni e fanno bene. Ma vi consiglio di privilegiare soprattutto il pesce azzurro: alici, sgombri, sardine, palamite, aguglie, pesce spatola ecc. Sono detti «azzurri» per via del colore blu del dorso, in contrapposizione al cosiddetto «pesce bianco» (branzini, orate, saraghi, pagri, pagelli, ombrine ecc.). Generalmente di piccola pezzatura, di varia forma e sfumature di colorazioni, il pesce azzurro è facilmente reperibile nel Mediterraneo e questo comporta un ottimo rapporto qualità-prezzo. È un pesce dalle carni grasse, ricche di Omega-3 e grassi insaturi (i grassi buoni).

Questa scelta ci consentirà di contenere molto i costi della nostra spesa e di avere a disposizione alimenti straordinari, completi sotto il punto di vista nutritivo e preziosi per attivare il nostro metabolismo.

Il salmone

Il salmone, pur non essendo tipico del Mediterraneo, è oggi molto usato sulle nostre tavole. La ragione è... che è così buono! È talmente appetibile che la sua carne può essere proposta anche a colazione. Inoltre offre, da un punto di vista nutrizionale, notevoli vantaggi: è ricco di acidi grassi polinsaturi Omega-3, DHA e EPA, sostanze che sono in grado di pulire le nostre arterie. Gli Omega-3 inoltre hanno azione antinfiammatoria tale da ridurre tutti quei processi che ci portano alla sindrome metabolica.

Non tutti i salmoni sono uguali, anche in questo caso evitate quelli di allevamento e soprattutto

scegliete i salmoni dell'Atlantico, perché nuotano in acque molto fredde, con molta corrente.
Questi mari sono ricchi di ossigeno, meno inquinati rispetto ad altre zone del mondo, e la carne dei pesci sarà più soda, saporita e ricca di grassi buoni.

Focus

I CECI

Fra tutti i legumi i ceci sono i più equilibrati dal punto di vista energetico perché contengono meno proteine di altri e più grassi buoni. Questo conferisce loro una consistenza più morbida e un gusto migliore.
I ceci hanno una discreta azione ipocolesterolemizzante per la presenza di saponine e glucosidi ad azione chelante, stimolano la secrezione degli acidi biliari con riduzione dell'assorbimento del colesterolo che introduciamo attraverso l'alimentazione.
In virtù del particolare rapporto tra potassio e sodio i ceci facilitano l'eliminazione di acidi urici e cloruri e svolgono azione drenante su tutti quei soggetti che hanno renella o che presentano spesso calcoli renali o di chi soffre di litiasi urinaria.
Per la loro notevole quantità di proteine naturali e di fosforo i ceci sono controindicati per tutti quei soggetti che hanno una ridotta funzionalità renale. Va evitata l'assunzione di ceci quando si hanno valori di creatinina e di azotemia alti.
Per il tenore di tiamina, niacina e di amminoacidi essenziali i ceci sono particolarmente indicati nelle degenerazioni del sistema nervoso, alleviano le malattie della pelle, la disfunzionalità della vista e i deficit di memoria.
Per via dell'alto contenuto di ferro sono consigliati alle donne in

gravidanza, mentre sono consigliati alle donne in menopausa per prevenire l'osteoporosi grazie alla buona concentrazione di calcio. L'elevata quantità di fibre è molto utile nel trattamento della stipsi.

Preparazione di ceci e altri legumi (fagioli, lenticchie ecc.)

Selezionate i legumi e scartate le eventuali piccole pietre. Lavateli con acqua fredda e poneteli a bagno per un tempo variabile tra le 12 e le 24 ore con una foglia di alloro e/o 3 cm di alga kombu per mezzo chilo di legumi.
Cambiate spesso l'acqua durante l'ammollo, più tempo durerà questa fase di preparazione e più avremo modo di ridurre la presenza di fitati, sostanze presenti nei legumi che bloccano l'assimilazione di principi nutritivi fondamentali come ferro e magnesio, per questo ritenuti veri e propri antinutrienti.
Mettete i legumi in una casseruola capiente con acqua pulita e rinnovate l'alga e la foglia di alloro. Fate cuocere a fuoco lento fino a quando i legumi non risulteranno morbidi. Salate solo a fine cottura con sale marino integrale.

I legumi e il gonfiore addominale

È opinione comune che i legumi facciano gonfiare la pancia, motivo per il quale tendiamo spesso a evitarli. Questo è vero perché all'interno della loro cuticola è presente uno zucchero non assimilabile da parte del nostro intestino, che determina fermentazione e quindi il caratteristico gonfiore.
La tecnica di preparazione che abbiamo presentato, con i tempi prolungati di bagno, l'uso di alloro e alga kombu e la cottura a fuoco lento determina l'annullamento di questa sostanza. Potrete mangiare i vostri legumi pur mantenendo un addome piatto e nutrendo il microbiota intestinale con tutti i benefici del caso.

RICETTE PER LA FASE 2

› L'HUMMUS DI CECI

Gustosissimo, delicato e molto nutriente, l'hummus di ceci è un elemento indispensabile dell'alimentazione proposta nella fase 2 del percorso. Il succo di limone aiuta, così come i grassi del sesamo e dell'olio, a rendere biodisponibili quei principi nutritivi racchiusi nella struttura di questo nobile legume. Nella colazione che ho proposto potrete consumare questa bomba energetica utilizzando le verdure crude e di stagione come sedani, finocchi o carote come fossero crostini o posate.

INGREDIENTI

250g di ceci secchi oppure 500 g già cotti • 2 cucchiai di tahina (crema di semi di sesamo) • Succo di un limone spremuto • 2 spicchi di aglio (facoltativi) • Sale marino integrale q.b. • 2 cucchiai di olio EVO

PREPARAZIONE DELLA TAHINA

La tahina si trova già pronta ma se volete potete prepararla anche a casa. Ponete i semi di sesamo in una piccola pentola e tostateli leggermente. Quando saranno freddi frullateli in un mixer fino a quando non avranno la consistenza di una crema.
Se optate per l'acquisto della tahina pronta, scegliete un prodotto biologico.

PREPARAZIONE DELL'HUMMUS

Ponete i ceci all'interno di un mixer (per la cottura si veda il paragrafo relativo alla preparazione dei legumi nel FOCUS sui ceci, p. 163) aggiungete l'olio, il sale, gli spicchi di aglio finemente tritati, il succo di limone, la tahina e mandate il mixer fino a quando non otterrete una crema. Potete decorare con spezie, le più consigliate dalla tradizione medio orientale sono prezzemolo e paprika, ma potete sbizzarrirvi in base al vostro gusto.

› LA CREMA DI RISO INTEGRALE

La crema di riso integrale è nutriente e facile da digerire e può essere utilizzata anche nello svezzamento dei lattanti, al posto dei prodotti industriali che si trovano in commercio.
Il riso integrale come abbiamo visto nel FOCUS dedicato ha spiccate qualità antinfiammatorie, ma le sue fibre potrebbero irritare un intestino già compromesso o con ridotte capacità di assimilazione, motivo per cui lo consiglio solo se non si presentano questo tipo di problematiche. Questa tecnica di preparazione però risolve il problema conservando la parte attiva e scartando il grosso delle fibre. Piccole porzioni di fibre saranno comunque presenti nella crema, ma in una quantità tale da non indurre una recrudescenza infiammatoria e nutrire il microbiota, ripristinando l'eubiosi intestinale.

PREPARAZIONE

Lavate accuratamente il riso integrale per eliminare impurità e tracce di arsenico talvolta presenti in questo cereale. Lasciate il riso in ammollo per circa 2 ore in acqua pulita e aggiungete 3 cm di alga kombu ogni mezzo chilo di riso.
Mettete in una pentola una parte di riso integrale e quattro parti di acqua, coprite con il coperchio e cucinate a fuoco lento per 2 o 3 ore, aggiungendo acqua qualora il composto risultasse troppo asciutto. Al termine della cottura passate al setaccio. La crema è pronta.

› IL GOMASIO

Questo condimento, in abbinamento alla crema di riso integrale, assicura un tenore di sali minerali e di grassi tale da renderlo idoneo a costituire un pasto completo e nella tradizione macrobiotica esistono tecniche depurative che utilizzano questo piatto come esclusiva fonte di sostentamento per lunghi periodi. Ve lo sconsiglio, non cedete alla voglia di sperimentare queste tecniche in una modalità fai da te, perché non sono esenti da effetti collaterali.
Il gomasio si trova già pronto in commercio, nei negozi biologici, ma se vi fa piacere potete prepararlo da soli, è molto semplice.

INGREDIENTI

80 g di semi di sesamo • 4 g di sale marino integrale

PREPARAZIONE

Inserite tutto in un macinacaffè o in un mixer e frullate in modo da ottenere un condimento in polvere che potrete aggiungere a tutte le vostre pietanze a fine cottura.

› UOVA ALLA COQUE

Senz'altro uno dei modi più amati per consumare le uova, questa preparazione (così come le uova strapazzate) offre il vantaggio di renderle ben digeribili, perché cuoce alla perfezione l'albume e lascia il tuorlo crudo, consentendoci di assimilare meglio i principi nutritivi di questo alimento.
La presenza del guscio durante la cottura delle uova alla coque preserva ulteriormente dalla degradazione dei principi nutritivi.

INGREDIENTI

2 uova • Acqua q.b.

PREPARAZIONE

Ponete le uova in un pentolino, sommerse da acqua naturale e portate a ebollizione. Aiutandovi con un timer calcolate 2 minuti e mezzo dal momento in cui l'acqua inizia a bollire. Scolate lasciare raffreddare le uova immergendole in acqua fredda.

SCHEMA GIORNALIERO PER LA FASE 2

In questo schema troverete la scansione della giornata tipo nella fase 2, completa di workout, alimentazione, stretching e respirazione.

I menu proposti sono suggerimenti che vi offro per aiutarvi a comporre, partendo dalle regole di base stabilite in questo capitolo, degli abbinamenti gustosi e bilanciati.

Per la scelta delle verdure e della frutta di stagione potete consultare la tabella di p. 139-143.

Alcune indicazioni utili:

- Prima di ogni pasto (inclusi gli spuntini e le merende) fate due bei respiri profondi.
- Rispettate l'ordine di introduzione degli alimenti a ogni pasto, questo condizionerà l'aspetto biochimico ed infiammatorio.
- Masticate bene ogni boccone prima di deglutirlo.
- Affrontate il pasto con la giusta tranquillità, non mangiate di fretta.
- Evitate di saltare i pasti durante la giornata, sarà importante mangiare poco e spesso.
- Dal giorno 5 chi se la sente può iniziare a eseguire i workout di tonificazione in sostituzione della passeggiata metabolica. I più allenati possono fare l'una e l'altro (magari diversificando la fascia oraria e spostando la passeggiata o il workout nel pomeriggio).

GIORNI 4-10

Nei giorni 4 e 10, cioè all'inizio e alla fine della fase 2, appena svegli aggiorniamo il diario dei risultati. Il momento ideale per prendere le misure è al mattino dopo i bisogni fisiologici. Poi annotatele su questa tabella.

Peso	
Altezza	
Circonferenza torace	
Circonferenza vita	
Circonferenza fianchi	

CONDIMENTI CONSENTITI

- ***Olio EVO***
- ***Sale marino integrale***
- ***Limone***
- ***Spezie secondo i gusti personali***

GIORNO 4

Manteniamo bassa l'infiammazione e nutriamo il corpo

***Ore 6.00*: sveglia**

Due bicchieri di acqua naturale a temperatura ambiente (500 ml in totale)

Ore 6.30: spuntino pre-workout

1 cucchiaio di miele di acacia + 4 mandorle

Ore 7.00: passeggiata metabolica

Ore 8.00: colazione

Due uova strapazzate o alla coque (vedi ricetta a p. 168) + mezzo avocado e verdura cruda fresca e di stagione

Ore 10.00: merenda

Frutta fresca + una porzione di frutta secca

Ore 13.00: pranzo

Due bicchieri di acqua

Verdura cruda condita con olio e limone + riso integrale + verdura cotta

Ore 16.00: merenda

Frutta fresca e frutta secca

Ore 19.00: sequenza di stretching

Ore 20.00: cena

Due bicchieri di acqua

Verdura cruda + due uova

Prima di dormire: esercizi di respirazione diaframmatica circolare

GIORNO 5

Attiviamo la tiroide (iodio, amminoacidi e grassi buoni del pesce) stimolando la L-carnitina (quinoa). Teniamo in generale l'insulina bassa e il glucagone alto tutto il giorno.

Ore 6.00: *sveglia*

Due bicchieri di acqua naturale a temperatura ambiente (500 ml in totale)

Ore 6.30: ***spuntino pre-workout***

Un bicchiere d'acqua + 1 cucchiaio di miele di acacia + 4 mandorle

Ore 7.00: ***workout***

Passeggiata metabolica

oppure Tonificazione metabolica total body

Ore 8.00: ***colazione***

Verdure crude + salmone affumicato

Ore 10.00: ***merenda***

Un frutto fresco e della frutta secca

Ore 13.00: ***pranzo***

Due bicchieri di acqua

Verdure crude condite con olio e limone + quinoa + verdure cotte

Ore 16.00: ***merenda***

Un frutto fresco e della frutta secca

Ore 19.00: sequenza di stretching

Ore 20.00: cena
Due bicchieri di acqua
Verdure crude + pesce azzurro + verdure cotte

Prima di dormire: esercizi di respirazione diaframmatica circolare

GIORNO 6

Nutriamo il nostro microbiota intestinale facendo il pieno di fibre con cereali integrali, legumi e verdure.

Ore 6.00: sveglia
Due bicchieri di acqua naturale a temperatura ambiente (500 ml in totale)

Ore 6.30: spuntino pre-workout
1 bicchiere di acqua + 1 cucchiaio di miele di acacia + 4 noci brasiliane

Ore 7.00: workout
Passeggiata metabolica
oppure Tonificazione metabolica addome

Ore 8.00: colazione
Verdure crude + hummus di ceci (vedi ricetta p. 165)

Ore 10.00: merenda
Un frutto fresco e della frutta secca

Ore 13.00: pranzo

Due bicchieri di acqua

Verdura cruda + riso integrale + verdura cotta

Ore 16.00: merenda

Un frutto fresco e della frutta secca

Ore 19.00: sequenza di stretching

Ore 20.00: cena

Due bicchieri di acqua

Verdura cruda + ceci + verdura cotta

Prima di dormire: esercizi di respirazione diaframmatica circolare

GIORNO 7

Pulizia profonda intestinale e metabolica.

Ore 6.00: sveglia

Due bicchieri di acqua naturale a temperatura ambiente (500 ml in totale)

Ore 6.30: spuntino pre-workout

Un bicchiere di acqua + un cucchiaio di miele di acacia + 4 nocciole

Ore 7.00: workout

Passeggiata metabolica

oppure Tonificazione metabolica total body

Ore 8.00: colazione

Frullato metabolico a scelta (vedi pp. 129-131)

Ore 10.00: merenda

Un frutto fresco e della frutta secca

Ore 13.00: pranzo

Due bicchieri di acqua

Crema di riso integrale con gomasio (vedi ricette a pp. 166-177)

Ore 16.00: merenda

Un frutto fresco e della frutta secca

Ore 19.00: sequenza di stretching

Ore 20.00: cena

Due bicchieri di acqua

Verdura cruda + quinoa + verdura cotta

Prima di dormire: esercizi di respirazione diaframmatica circolare

GIORNO 8

Aumentiamo la cilindrata del nostro motore (stimoliamo il metabolismo basale) con le proteine delle uova.

Ore 6.00: sveglia

Due bicchieri di acqua naturale a temperatura ambiente (500 ml in totale)

Ore 6.30: spuntino pre-workout

Un bicchiere di acqua, un cucchiaio di miele di acacia + 4 noci brasiliane

Ore 7.00: workout

Passeggiata metabolica

oppure Tonificazione metabolica glutei

Ore 8.00: colazione

Due uova strapazzate o alla coque + mezzo avocado + verdura cruda fresca e di stagione

Ore 10.00: merenda

Un frutto fresco e della frutta secca

Ore 13.00: pranzo

Due bicchieri di acqua

Verdura cruda condita con olio e limone + riso integrale + verdura cotta

Ore 16.00: merenda

Un frutto fresco e della frutta secca

Ore 19.00: sequenza di stretching

Ore 20.00: cena

Due bicchieri di acqua

Verdura cruda + due uova

Prima di dormire: esercizi di respirazione diaframmatica circolare

GIORNO 9

Proseguiamo il programma seguendo la regola massimo nutrimento, massima digeribilità.

Ore 6.00: sveglia

Due bicchieri di acqua naturale a temperatura ambiente (500 ml in totale)

Ore 6.30: spuntino pre-workout

Un bicchiere di acqua + un cucchiaio di miele di acacia + 4 anacardi

Ore 7.00: workout

Passeggiata metabolica
oppure Tonificazione metabolica total body

Ore 8.00: colazione

Salmone affumicato + verdure crude

Ore 10.00: merenda

Un frutto fresco e della frutta secca

Ore 13.00: pranzo

Due bicchieri di acqua
Verdure crude condite con olio e limone + quinoa + verdure cotte

Ore 16.00: merenda

Un frutto fresco e della frutta secca

Ore 19.00: sequenza di stretching

***Ore 20.00*: cena**
Due bicchieri di acqua
Verdura cruda + pesce azzurro + verdure cotte

Prima di dormire: esercizi di respirazione diaframmatica circolare

GIORNO 10

Concludiamo questo ciclo pieni di energia, in questa fase ciò che ci sembrava un sacrificio diventa gioia di scegliere il cibo giusto per recuperare forma e salute.

***Ore 6.00*: sveglia**
Due bicchieri di acqua naturale a temperatura ambiente, 500 ml in totale

***Ore 6.30*: spuntino pre-workout**
Un bicchiere di acqua, un cucchiaio di miele di acacia + 4 anacardi

***Ore 7.00*: workout**
Passeggiata metabolica
oppure Tonificazione metabolica addome

***Ore 8.00*: colazione**
Verdure crude + hummus di ceci (vedi ricetta a p. 165)

***Ore 10.00*: merenda**
Un frutto fresco e della frutta secca

Ore 13.00: pranzo

Due bicchieri di acqua

Verdura cruda + riso integrale + verdura cotta

Ore 16.00: merenda

Un frutto fresco e della frutta secca

Ore 19.00: sequenza di stretching

Ore 20.00: cena

Due bicchieri di acqua

Verdura cruda + ceci + verdura cotta

Prima di dormire: esercizi di respirazione diaframmatica circolare.

CAPITOLO 7

La fase 3: attivazione metabolica in 21 giorni

Dal giorno 11 del percorso entriamo nella fase 3: in 21 giorni attiveremo il nostro metabolismo e continueremo a spegnere l'infiammazione sistemica e lo faremo senza imprigionarci dietro le sbarre di una dieta preconfezionata.

Il metodo si basa infatti sull'individuazione di alimenti che, oltre a nutrire il corpo, contribuiscono a spegnere lo stato infiammatorio sistemico cronico del nostro organismo. Come abbiamo già ampiamente spiegato, l'infiammazione fa ingrassare e spegnendola otterremo il dimagrimento che tanto desideriamo: la chiave dunque sta nella scelta dei cibi e nella loro combinazione, non nell'ossessiva attenzione alle calorie e alle quantità. Alcuni alimenti, che sono veri toccasana per la nostra salute, combinati con altri esercitano la propria azione in modo ancora più efficace, così come al contrario alimenti assolutamente salutari possono andare ad aumentare lo stato infiammatorio se consumati in particolari combinazioni.

Ad esempio nessuno mette in dubbio le virtù nutrizionali e antinfiammatorie di pesce, uova, riso integrale, quinoa, mela, mandorla, avocado, ma presi tutti insieme, al contrario, alimenteranno lo stato infiammatorio. Ecco perché preferisco non mettere a disposizione una semplice lista di cibi sì e cibi no da introdurre nell'alimentazione, bensì proporre una serie di menu attentamente studiati in funzione delle interazioni alimentari. Potrete scegliere diverse combinazioni per i diversi pasti: ciascuna prevede abbondanza di fibre, vitamine e minerali, oltre a carboidrati, proteine e grassi buoni. State sempre attenti a variare il più possibile: la varietà rafforza il corpo, mettendogli a disposizione l'ampia gamma di principi nutritivi che la natura ha predisposto per noi.

Le regole auree

In questi 21 giorni imparerete come riportare il vostro organismo a uno stato di piena salute e armoniosa forma fisica. Una volta acquisito il metodo, sarà istintivo per voi continuare ad applicarlo per mantenervi in forma rimanendo liberi dallo spettro delle diete.
Prima di iniziare, ecco le 12 regole auree del metodo, che abbiamo già incontrato nei capitoli precedenti ma che, a questo punto, sarà utile riassumere:

1 › Consumare solo verdura e frutta di stagione;

2 › Mangiare la frutta sempre lontano dai pasti, in una misura variabile che va da uno a tre frutti al giorno e sempre accompagnati da una porzione di frutta secca;

3 › È possibile combinare i vegetali ma non gli alimenti di origine animale. Nel menu giornaliero potrete quindi prevedere una zuppa di verdure miste, ma non potrete inserire diversi tipi di proteine (per esempio pollo e maiale);

4 〉 Bevete almeno due bicchieri d'acqua prima di ogni pasto;

5 〉 Fate sempre alcuni respiri profondi prima di iniziare a mangiare;

6 〉 Preferite cereali in chicchi;

7 〉 Non mischiate tipologie diverse di cereali nel menu giornaliero, la zuppa del casale fa bene solo nella pubblicità;

8 〉 Evitate le fritture;

9 〉 Non cuocete le verdure al forno;

10 〉 Preferite verdure crude e cotture delicate, come quella al vapore o una leggera saltatura in padella;

11 〉 Masticate bene e più volte il cibo per facilitare la digestione;

12 〉 Mangiate con calma, senza fretta, sedendovi a tavola e prendendovi il giusto tempo per potervi gustare il cibo e l'esperienza.

Quando il cibo infiamma il corpo

L'esigenza di impostare un'educazione alimentare su base antinfiammatoria nasce da un dato oggettivo: il tessuto adiposo, quando supera una certa percentuale (12% grasso viscerale, 15-25% massa grassa totale) rispetto al peso corporeo complessivo e in modo particolare se localizzato nella fascia addominale, si comporta come una vera e propria ghiandola endocrina autonoma ed è in grado di produrre interluchine pro-infiammatorie. Insomma il grasso in eccesso sostiene l'infiammazione cronica dell'organismo, che a sua volta induce un

BASTA CON LE INTOLLERANZE!

In natura nessun animale ha l'abitudine di mischiare i cibi. Ci si sazia di un alimento per volta. Questo alleggerisce molto l'impegno digestivo di stomaco e intestino. L'abitudine umana di mangiare una grande varietà di cibi nello stesso pasto (massimamente espressa nelle società ricche ed industriali) non solo appesantisce la digestione ma espone alla possibilità di sensibilizzare i tessuti e i sistemi adiacenti alle mucose intestinali.
Immaginate l'intestino come una galleria con tante lampadine spente. A ciascun cibo corrisponde una specifica lampadina. Ogni volta che quell'alimento viene introdotto nel lume intestinale, la sua lampadina si accende. Più varietà di cibo introdurremo, più lampadine si accenderanno.
Le lampadine corrispondono al grado di infiammazione intestinale, che può essere sollecitata da una eccessiva frequenza di introduzione di un determinato cibo, o da una quantità eccessiva, così come dalla abitudine di mischiare cibi molto diversi. Ecco perché vi raccomando di porre grande attenzione alle combinazioni di alimenti e di variare spesso. Vale ancora di più nel caso della frutta secca e dei semi oleaginosi: non mangiate sempre e solo mandorle o noci ma spaziate; non mangiatene una eccessiva quantità (seguite la regola del pugno); mangiatene solo un tipo per volta.

ulteriore accumulo di grasso: il circolo vizioso è servito. La perdita di peso, d'altronde, agisce riducendo i valori generali della glicemia e dei prodotti avanzati della glicazione (AGE), implicati nelle sindromi da invecchiamento precoce. La sindrome infiammatoria sistemica di basso grado, se da un lato facilita il presentarsi di una serie di patologie ormai comuni (sindrome metabolica, pressione alta, diabete, ipercolesterolemia, patologie autoimmuni, tumori, problematiche cardiovascolari, artrosi, ecc.), dall'altro causa un vero e proprio blocco del metabolismo e con il metabolismo in panne non funzioniamo più bene e non riusciamo nemmeno a rimetterci in forma.

Quando si passa da una condizione di sovrappeso al normopeso, invece, si assiste alla diminuzione di *tutti gli indici di infiammazione cronica sistemica*. È come se avessimo disattivato gli interruttori dell'infiammazione. Il primo passo, quindi, è ridurre il consumo di tutte quelle categorie di cibo che la sostengono e le raccomandazioni dell'Organizzazione Mondiale della Sanità in tal senso sono molto chiare, ormai da anni. L'OMS classifica come alimenti pro-infiammatori tutti i cibi con alto indice glicemico: lo zucchero (saccarosio), il glucosio, lo sciroppo di glucosio, il fruttosio isolato, le bevande zuccherate (succhi di frutta e bevande gassate), i dolci commerciali, i cereali zuccherati per la colazione, le patate, le patatine, il pane raffinato bianco, il riso brillato, i fiocchi di mais, la soia OGM, i grani OGM modificati ad alto contenuto di glutine, le solanacee, i cibi ricchi di grassi saturi come carni rosse, salumi e il latte e i suoi derivati.

Nonostante l'OMS ci ricordi ormai da anni quali sono i cibi pro-infiammatori da evitare per ridurre l'incidenza di malattie ormai endemiche, continuiamo a fare orecchie da mercante. Nelle diete moderne infatti sempre più spesso siamo abituati ad utilizzare gli alimenti che ho elencato sopra più o meno quotidianamente e in grande quantità. Ma non è sempre stato così.

Se un tempo avevamo accesso - comunque ridotto - a carni e latte provenienti da animali vissuti in maniera armoniosa e corretta con le leggi della natura (pascolando all'aperto si «caricavano» di vitamina D, mangiavano seguendo le stagioni e quindi erano più in salute, facevano movimento e questo incideva sulla qualità dei grassi, senza contare che nei tessuti animali c'erano concentrazioni molto basse di ormoni dello stress) oggi la situazione è ben diversa: le fonti alimentari derivano da allevamenti intensivi dove non vengono rispettate nemmeno le basilari esigenze degli esseri viventi e sono potenzialmente molto nocive.
Non è solo la qualità delle carni o del latte a essere cambiata, sono cambiate anche le nostre abitudini. La disponibilità di questi alimenti, alla portata economica della maggior parte della popolazione almeno nella parte benestante del pianeta, fa sì che se ne faccia un consumo smodato. Un tempo l'accesso delle famiglie di ceto medio allo zucchero non era così scontato, ne è prova il fatto che venisse considerato un bene prezioso, ricercatissimo al mercato nero del periodo bellico.
A compromettere ulteriormente la situazione ci sono le tecniche di coltivazione usate nei campi. Se questo incide sul consumo diretto di frutta, ortaggi e vegetali, immaginate quali possono essere gli effetti sugli animali allevati con questi cibi vegetali. Le sostanze xenobiotiche come metalli pesanti e pesticidi entrano con grande facilità in circolo nell'organismo dell'animale, attraverso l'alimentazione, ma vengono smaltite con difficoltà.
Di seguito passeremo in rassegna alcune categorie alimentari particolarmente problematiche e, per ciascuna, cercherò di darvi delle linee guida chiare da seguire, in modo da poterle consumare consapevolmente e nel modo corretto.

La carne

Iniziamo dai contro. Dice il detto che una buona fetta di carne rossa fa sangue: di solito la saggezza popolare ha ragione ma in questo caso non c'è alcuna conferma in ambito scientifico. La frazione del ferro presente nella carne è fortemente ossidante e comunque scarsamente biodisponibile per gli esseri umani. In caso di anemia è decisamente più efficace aumentare l'introito di verdure dal colore verde intenso, in queste infatti troviamo ferro più compatibile con la nostra fisiologia.
La carne è ricca di acido arachidonico, un grasso insaturo che stimola l'infiammazione, motivo per cui un consumo eccessivo di carne genera un acutizzarsi dello stato infiammatorio generale determinando anche maggiore sensibilità al dolore.
Troppa carne fa male anche al cuore: si determina un'alterazione del profilo lipidico, tra trigliceridi e LDL, che può indurre problematiche a carico del sistema cardiocircolatorio.
La carne è ricca di L-carnitina, un amminoacido che, naturalmente prodotto dal nostro organismo, sostiene la conversione degli acidi grassi in energia. Ciò che è meno noto, tuttavia, è che quando siamo in disbiosi (condizione assai frequente) i batteri intestinali possono trasformare questo amminoacido in TMAO (trimetil-ammina-N-Ossido). TMAO favorisce l'aterosclerosi e tutte le degenerazioni del sistema nervoso centrale, ma contribuisce anche all'infarto del miocardio.
Il consumo eccessivo di carne stimola anche la somatomadina o IGF-1, un fattore di crescita associato ai processi di degenerazione che contribuisce ad accorciare le nostre aspettative di vita.
Passiamo ai pro, perché non è giusto demonizzare la carne, di cui l'essere umano si nutre naturalmente da sempre. Il con-

sumo consapevole di proteine animali stimola una via metabolica nota come mTor. Questa via metabolica, correttamente stimolata, ci fa crescere più alti, più muscolosi e più belli. Ma attenzione perché nessuna sostanza è così salutare da poter essere utilizzata in eccesso e infatti un eccesso di carne - e di proteine - determina una iperstimolazione di mTor, che cessa di essere benefico e contribuisce al manifestarsi di sovrappeso e malattie metaboliche.
Le proteine della carne vengono definite proteine nobili, perché hanno tutti gli amminoacidi essenziali. Quando questi amminoacidi arrivano in quantità eccessiva nel colon, verranno trasformati dalla flora intestinale disbiotica in altre sostanze tossiche. Ad esempio l'istidina si trasformerà in istamina, la tirosina in tiramina, la lisina in cadaverina, l'ornitina in putrescina, l'arginina in agmantina. Queste tossine hanno una forte azione vasocostrittrice. Questa è una delle ragioni per la quale a partire dai quarant'anni siamo ormai abituati ad assumere farmaci antipertensivi. L'istamina in maniera particolare determina danni alla mucosa intestinale con necrosi dei villi. Questo spiega come anche in assenza di una vera e propria celiachia troviamo situazioni nelle quali i villi si presentano appiattiti e infiammati. Se i prodotti tossici di questa putrefazione batterica rimangono nell'intestino determinano «solo» sintomi come meteorismo, scariche, stitichezza, reflusso gastroesofageo, acidità di stomaco. Il problema più grande è che queste tossine possono essere assorbite dalla mucosa intestinale ed entrano così nel circolo sistemico. Qui le conseguenze e i sintomi sono decisamente più severi.
L'accumulo di istamina è collegato a fenomeni allergici sia a carico della pelle che dei bronchi.
Per comprendere la portata dell'incidenza di queste proble-

matiche immaginate che fino a dieci anni fa in una classe elementare di venti alunni avevamo solo uno, al massimo due soggetti allergici. Oggi la proporzione è completamente ribaltata: tra intolleranze e allergie conclamate saranno coinvolti circa il 60% dei bambini.

Le carni conservate

Prosciutto crudo, cotto, mortadella, bresaola, carne in scatola, speck, salumi vari sono tutti alimenti che presentano le problematiche già descritte nella carne, con alcuni «bonus»:

1 › Presenza di enormi quantità di sodio e conservanti. Questi alimenti non solo ci espongono ai rischi tipici del consumo di carne, ma di base sono costituiti da carne vecchia per la quale i processi di putrefazione sono bloccati, nella migliore ipotesi, dal sale, coadiuvato da sostanze conservanti di derivazione chimica;

2 › La presenza di nitriti e nitrati, utilizzati perché danno il colore rosso alla carne e favoriscono lo sviluppo dell'aroma oltre che la conservazione, è dannosa. I nitriti nello stomaco si trasformano in acido nitroso che, quando in eccesso, dà origine alle nitrosammine, composti cancerogeni che hanno la capacità di legarsi ad alcune porzioni di DNA cellulare.

Latte e derivati

Molte delle persone che si rivolgono a me mi riportano disagi legati all'assimilazione del latte, che procura loro gonfiore e dolori addominali. Mi chiedono cosa devono fare per stare

meglio e io rispondo: togli il latte. Il 75% della popolazione è intollerante al lattosio, lo zucchero presente nel latte che, come qualunque zucchero, è in grado di innalzare la glicemia. Questo avviene perché, per poter essere assimilato, il lattosio dovrebbe essere digerito dal nostro apparato gastro-intestinale, che per farlo ha bisogno di un enzima chiamato lattasi, prodotto dal corpo umano solo fino ai 5 anni di età. Motivo per cui nasciamo con la capacità di digerire il latte materno umano, ma abbiamo grandi difficoltà a digerire, in età adulta, il latte di un'altra specie.
Il latte vaccino è quel super alimento che consente al vitello di decuplicare velocemente il suo peso corporeo grazie ai suoi fattori di crescita. Quali effetti possono avere le sostanze che lo compongono su un soggetto adulto appartenente a una specie diversa? Che tipo di processi di crescita potrebbero sostenere in quel caso? La risposta si trova con un'altra domanda: che cos'è che «cresce» in un soggetto adulto, oltre ai capelli e alle unghie? Per esempio le formazioni neoplastiche. Il latte vaccino è inoltre molto ricco di proteine; la frazione proteica del latte è la caseina che, oltre a concorrere al sostegno dei fattori infiammatori sistemici, si comporta come una colla a livello intestinale, determinando quegli stati di malassorbimento che affliggono così tante persone, negli ultimi anni.
Alimentarsi quotidianamente con latte e derivati sostiene l'infiammazione, il nostro organismo risponde allo stato infiammatorio con una iperproduzione di muchi, questi invadono non solo l'intestino ma anche i bronchi: ecco spiegato l'aumento di asmatici e bronchiti croniche. Chi mangia molti formaggi mostra inoltre valori di IGF-1, l'ormone di cui abbiamo già parlato a proposito della carne, molto alti. Questo è particolarmente nocivo per le donne, perché si determina uno

stato di acidosi sistemica che viene compensato dal corpo con meccanismi tampone dispendiosi per il nostro patrimonio di calcio, bicarbonato e magnesio, predisponendo all'osteoporosi. Ma come, si dirà, il latte non dovrebbe prevenire l'osteoporosi? Il latte è naturalmente ricchissimo di calcio, peraltro organico ovvero biodisponibile. Tuttavia i processi industriali di lavorazione del latte, a partire dalla pastorizzazione, rendono quel calcio inutilizzabile dal nostro corpo se non per sostenere delle pericolose precipitazioni in alcuni distretti: ed ecco i calcoli renali e alla colecisti.

Lo zucchero

Lo zucchero dà dipendenza, come la droga. Ma è legale. Vi sembra assurdo che stia paragonando lo zucchero alla cocaina? Eppure non sono il primo ad aver fatto questo accostamento: anni di studi sui topi hanno dimostrato che il consumo di zucchero raffinato produce effetti e reazioni analoghe – se non superiori – a quelli di altre sostanze che provocano assuefazione.

Oltre alla dipendenza, lo zucchero porta con sé diversi altri problemi, primo tra tutti il sovrappeso. Facile, penserete: basta rinunciare allo zucchero nel caffè. Lo zucchero da tavola è solo una piccola parte del problema, perché troviamo lo zucchero veramente ovunque, anche in alimenti impensabili come i legumi in scatola. Lo zucchero ingrassa perché sostiene le oscillazioni tra glicemia e insulina e più è raffinato più velocemente entra nelle cellule per produrre energia. Ma una merendina piena di zucchero non è certo il modo migliore per fare scorta di energia pronta da consumare: intanto perché

la maggior parte delle volte che consumiamo cibi industriali (come le merendine) non siamo impegnati in uno sforzo fisico estremo che giustificherebbe un «pronto intervento zuccherino», ma al contrario ce ne stiamo seduti comodamente sul divano. Il che significa solo una cosa: tutta quella meravigliosa energia pronta che circola nel nostro sangue verrà spazzata via dall'insulina e trasformata in ulteriore tessuto adiposo.
Vuol dire che in caso di sforzo fisico intenso la merendina sarebbe la scelta ideale? Ancora una volta la risposta è no. Se utilizziamo cibi ad alto indice glicemico durante uno sforzo fisico, per esempio un normale allenamento, l'energia si esaurirà in brevissimo tempo e non riusciremo nemmeno a completare i primi venti minuti del workout. Lo zucchero è un alimento «a calorie vuote»: è perfetto per far alzare glicemia e insulina, con conseguente formazione di grasso, ma non apporta nessun altro nutriente, né sali minerali, né vitamine. Al contrario, sostenendo l'acidosi sistemica come la maggior parte degli alimenti pro-infiammatori, determina un costante impoverimento del nostro organismo: per compensare lo squilibrio del ph che interviene dopo aver mangiato dolci, infatti, sarà necessario depredare ossa, denti e muscoli di preziosissimi sali minerali. La ricerca ha inoltre più volte messo in evidenza che un ambiente acido favorisce l'insorgere di numerose patologie, anche di tipo neoplastico, e infatti il cibo preferito di una cellula «impazzita» è proprio lo zucchero. Il consumo di zucchero è associato anche all'insorgere di malattie specifiche: non parliamo solo di diabete, ma anche di tutte le malattie dei denti. L'azione dello zucchero nell'eziopatogenesi della carie è legata alle alterazioni di ph e di microbiota della bocca. Alimentarsi con cibi ricchi di zucchero vuol dire anche sostenere una iper-proliferazione di patogeni come la

candida, che sono fisiologicamente presenti nel nostro intestino ma se vengono nutriti *troppo* prendono il sopravvento sulle altre popolazioni batteriche. La candida alimentata a zucchero modifica la sua struttura, producendo ife, vere e proprie radici in grado di microfissurare la mucosa intestinale e determinare permeabilità intestinale. In questo modo finisce per migrare in altri distretti del corpo raggiungendo vagina, vescica, bocca, pelle, unghie e perfino stomaco. Un effetto secondario della candida è la sintomatologia depressiva: quando la sua concentrazione raggiunge un certo livello, sembra che possa alterare la produzione di neurotrasmettitori portando a disturbi dell'umore, ansia e altri problemi psicologici.
Insomma lo zucchero ci rende dipendenti, ci ingrassa, ci fa ammalare, ci rende tristi, ma fa altro ancora: per esempio ci invecchia. Il suo eccesso nel sangue viene convertito in parte in depositi di grasso e in parte si lega alle strutture proteiche delle membrane cellulari, innescando un processo definito di glicazione, alla base dell'indurimento cellulare e dell'invecchiamento. Questo determina perdita di elasticità e luminosità cutanea: la pelle si presenta asfittica, spenta e percorsa da un reticolo sempre maggiore di solchi, le famigerate rughe.

Le solanacee

Pomodori, peperoni, melanzane, patate. Appartengono tutti alla famiglia delle solanacee, così come le bacche di goji, o piante come la belladonna e il tabacco. Il termine solanacea deriva dalla solanina, una sorta di pesticida naturale prodotto da alcune piante di questa famiglia per difendersi da funghi e insetti. Quando la solanina raggiunge i 200 mg/kg, diventa tossica e introdotta con regolarità nel nostro intestino ne lede la mucosa, determinando infiammazione e malassorbimento. All'interno dell'organismo si inserisce nel ciclo dell'urea determinando l'aumento degli acidi urici.

Lasciate che faccia adesso una piccola digressione sull'importanza della *stagionalità*: se la natura ha reso disponibili determinate verdure in determinati periodi dell'anno, ci sarà stato un motivo. Ogni pianta supera le sfide della stagione nella quale cresce producendo una serie di sostanze utili. Queste sostanze conferiscono sapore, nutrimento e proprietà a ciascuna specie vegetale. Vi siete mai chiesti il motivo per cui la frutta e la verdura del supermercato non sanno più di niente? La ragione è proprio questa: una pianta che cresce protetta dalle serre produce magari un bel frutto, colorato e lustro, ma privo di sapore, odore e principi nutritivi.
Le solanacee non sono di per sé dannose: i peperoni sono molto ricchi di vitamina C, i pomodori sono fonte di licopene. Non dovremmo privarcene, ma nemmeno dovremmo mangiarli sempre, smodatamente, senza riguardo alla loro disponibilità stagionale. Al contrario mangiarli nella loro stagione corretta – i tre mesi estivi – fa sì che il corpo concentri i loro principi nutritivi e abbia poi tutto il tempo di smaltire gli effetti tossici della solanina. E invece non c'è pollo senza patate, non c'è pasta senza pomodoro, non c'è parmigiana senza melanzane e la peperonata ci appassiona anche a dicembre. Introdurre questi alimenti tutto l'anno da una parte ci distoglie dalle verdure che crescono spontaneamente in quella stagione, e dall'altra ci induce a consumare alimenti arricchiti da sostanze chimiche indispensabili a forzare le coltivazioni.
La solanina conferisce un caratteristico colore verde agli or-

taggi: questo significa che più i pomodori sono verdi, più alta sarà la concentrazione di solanina. Ricordate di consumarli sempre ben maturi. Nelle patate invece la solanina si concentra maggiormente nei germogli, o nelle patate rugose o vecchie. Cercate di evitare il consumo di patate che presentano germogli e se siete costretti abbiate cura di eliminare la parte germogliata e le zone verdi circostanti.
Le patate hanno anche un altro «primato»: sono l'alimento che fa ingrassare più di tutti e più velocemente, per via dell'amido di cui sono ricche. Mentre l'amido contenuto nella pasta ha una conformazione lineare, l'amido delle patate ha una conformazione che offre maggiori punti di attacco sulla molecola alle alfa amilasi, gli enzimi digestivi che scindono l'amido in glucosio: questo vuole dire che faranno il loro lavoro più in fretta, liberando maggiori quantità di glucosio. Questo è il motivo per cui le patate hanno un indice glicemico molto più elevato della pasta. Se restate ancora convinti che una porzione di patate fritte non ha mai fatto del male a nessuno, sappiate che oltre a contenere solanina e sostenere il sovrappeso le patate, soprattutto fritte o cotte al forno ad alta temperatura, concentrano grandi quantità di acrilammide, una sostanza cancerogena (che si sviluppa, in realtà, tutte le volte che un carboidrato viene cotto ad alte temperature).

Il glutine

Sempre più spesso sentiamo parlare di celiachia e di intolleranza al glutine, ma cos'è questo glutine? È il complesso proteico che troviamo nel grano e in altri cereali come frumento, segale, farro. È una miscela di proteine, soprattutto gliadina e

glutenina, che si forma durante l'impasto di farine di alcuni cereali con acqua. Il glutine non è presente nel chicco del cereale o nella farina. In latino *gluten* significa «colla» e il glutine è in effetti l'elemento che «incolla» gli impasti, donando elasticità. Alcune lavorazioni industriali, come la produzione della pasta, si giovano di un glutine «forte», più persistente. Ma, com'è facilmente intuibile, questo non vale per l'intestino umano.
Il crescente numero di persone allergiche o intolleranti al glutine si spiega con le modificazioni genetiche subite dal grano in questi decenni e con le tecniche di coltivazione intensiva, che hanno portato la concentrazione del glutine verso valori molto alti: siamo passati da concentrazioni medie del 4-6% nel farro e dell'8% della varietà di grano antico Senatore Cappelli, a concentrazioni attorno al 22% che si trovano oggi in alcune tipologie di farine da grani moderni.
Si stima che circa l'1% della popolazione soffra di celiachia o allergia al frumento. La sensibilità al glutine, invece, è più diffusa e riguarda circa il 6% della popolazione ma si sa ancora poco dei meccanismi che la provocano. Il glutine scatena nell'intestino tenue dei celiaci una reazione immunitaria anomala, ed esercita un effetto negativo sulla barriera difensiva nell'intestino. Diverso il caso della sensibilità al glutine: la celiachia ha una base genetica mentre non è chiaro cosa scateni la sensibilità, anche se i sintomi sono più o meno simili: dolore e gonfiore addominale, acidità e bruciore alla bocca dello stomaco, nausea, vomito, disturbi intestinali. Tuttavia l'ingestione del glutine non porta solo a problemi del tratto gastrointestinale. Diversi studi negli ultimi anni hanno ipotizzato che il glutine possa essere causa di sintomi extra digestivi: astenia, dolori articolari, dermatiti, asma, fino all'herpes e ai disturbi neurologici e cognitivi. Una esposizione cronica al glutine, in

persone sensibili, altera la barriera intestinale impedendole di compiere la sua funzione e questo causa un malassorbimento delle sostanze nutritive necessarie al metabolismo. L'aumento della permeabilità intestinale immette in circolo un numero eccessivo di tossine, antigeni e interleuchine pro-infiammatorie, che arrivano al fegato sostenendo l'insorgere di un'infiammazione cronica. Inoltre le esorfine, un gruppo di peptidi oppioidi che si formano durante la digestione del glutine, possono passare attraverso la barriera intestinale e da lì diffondersi ad altri organi. Studi recenti hanno ipotizzato che possano oltrepassare la barriera emato-encefalica, influendo sul comportamento (ne possono risultare stati ansiosi, irritabilità, confusione e mancanza di concentrazione) e favorendo lo sviluppo di euforia e dipendenze. Ecco perché nel tempo il nostro organismo sviluppa un forte attaccamento verso alimenti contenenti glutine (pane e pasta *in primis*).
Sono oltre novanta i disturbi collegabili a una alimentazione eccessivamente ricca di glutine eppure continuiamo a consumarne grandi quantità, privilegiando alimenti che lo contengono in modo massiccio e in forme diverse: pasta, pane, focaccia, taralli, biscotti, crackers, grissini... In particolar modo noi italiani, grandi sostenitori del ruolo della pasta come alimento completo e sostanzioso, ci siamo convinti che il piatto di pasta sia la portata di sostanza.
Forse è il momento di iniziare a ricredersi.

Il piano alimentare spiegato nel dettaglio: la colazione

Dopo questa panoramica sulle categorie di alimenti pro-in-

fiammatori che nelle prossime settimane ci impegneremo a evitare o perlomeno a limitare nella nostra dieta, passiamo ad occuparci più nel dettaglio del percorso alimentare che compiremo nella fase 3 del Restart metabolico.
Iniziamo dalla colazione, che secondo la saggezza popolare è il pasto più importante della giornata. La colazione riveste infatti un ruolo fondamentale per il nostro metabolismo e il detto «colazione da re, pranzo da principe e cena da povero» è un'indicazione alimentare di estrema accuratezza.
Dalla colazione dipende il resto della giornata: se al mattino assumiamo alimenti a calorie vuote, ad esempio un cornetto al bar, questo determinerà un innalzamento repentino della glicemia e quindi dell'insulina, e nel giro di mezz'ora saremo in ipoglicemia e avremo di nuovo fame. Di altri alimenti a calorie vuote. Un circolo vizioso che produce un aumento di tessuto adiposo e una continua voglia di mangiare.
Ma anche optare per una colazione povera, magari solo un caffè amaro, avrà effetti deleteri: la caffeina infatti stimola l'innalzamento della glicemia, e noi ci ritroveremo a desiderare un biscottino o simili, infilandoci nell'oscillazione tra iper e ipoglicemia.
In sostanza possiamo immaginare il glucosio come dei granelli di sabbia inseriti in una clessidra.
Quanto più velocemente la clessidra si svuoterà, tanto più velocemente saremo costretti a riempirla di nuovo con altro cibo dall'esterno. L'idea è quella di inserire sin dal mattino nella clessidra tutti i nutrienti fondamentali: vitamine, minerali, grassi buoni con azione prevalentemente antinfiammatoria e fibre che, oltre a dare nutrimento al microbiota intestinale, faranno assorbire più lentamente il glucosio, e quindi faranno scendere più piano i granellini nella nostra clessidra.
Una colazione così bilanciata non solo non determinerà oscil-

lazioni tra glicemia e insulina, per cui noi non avremo fame per ore, ma predisporrà il metabolismo a convertire in energia non gli zuccheri ma le riserve di grasso, se sono in eccesso, oppure a sostenere il soggetto in una condizione normopeso.

SETTE COLAZIONI PER VARIARE

1〉 ***Porridge con frutta fresca e secca e latte non vaccino (bevande vegetali come sorgo, riso e mandorla)***

2〉 ***Uova strapazzate o alla coque con verdure crude***

3〉 ***Tisana metabolica*, fiocchi di pseudo cereali, un frutto fresco e una manciata di frutta secca***

4〉 ***Tisana depurativa*, fette biscottate di farro con un velo di marmellata senza zucchero, un frutto fresco e una manciata di frutta secca***

5〉 ***Hummus di ceci** con verdure crude***

6〉 ***Tisana metabolica* con crema Budwig****

7〉 ***Verdure crude con salmone***

* *Per la ricetta vedi in fondo a questo capitolo.*
** *Per la ricetta vedi il capitolo 6.*

Merende

Gli spuntini sono importanti se vuoi perder peso e non soffrire mai la fame. Mangiare ogni tre ore, quindi poco e spesso, vi aiuterà a gestire la concentrazione di glucosio nel sangue.
È importante, a metà mattina e a metà pomeriggio, concedersi degli spuntini di frutta fresca e di stagione e di semi oleaginosi o frutta secca. Questa nuova abitudine vi consentirà di idratare correttamente le cellule del vostro corpo grazie all'acqua

«viva» contenuta nella frutta e di arrivare con il giusto appetito al pranzo e alla cena, migliorando la vostra performance fisica e intellettuale grazie all'apporto, nel corso della giornata, delle giuste quantità di vitamine e minerali.
Mai saltare la colazione e le merende! Si rischia di rallentare il metabolismo, che in maniera primitiva percepirà la mancanza di quei pasti come una situazione di carestia e si metterà in modalità risparmio energetico. La tiroide rallenterà e noi ci sentiremo via via sempre meno energici.

LE MERENDE

1 › ***Un frutto fresco e una manciata di frutta secca***

2 › ***Una barretta energetica fatta in casa****

**Vedi ricetta in fondo al capitolo.*

Le portate dei pasti principali

La cucina italiana prevede una chiara scansione delle portate durante i pasti principali. Tipicamente un pasto completo prevede almeno cinque voci: antipasto, primo, secondo, contorno, dolce.
Quello che vi chiedo, a questo punto, è di seguirmi e fare un cambio di paradigma: cambiamo il punto di vista! Ecco come intenderemo le classiche «voci» del pasto all'italiana, da adesso in poi (o almeno fintanto che seguirete il metodo del Restart metabolico).
Per *antipasto* si intendono verdure crude di stagione, che ci forniranno numerose e utili sostanze antiossidanti. Le verdure crude potranno essere condite con un cucchiaino di olio ex-

travergine di oliva a crudo, con l'aggiunta facoltativa di limone spremuto. In fondo al capitolo troverete una tabella completa con le verdure (e la frutta) suddivise per stagionalità.

Il *primo piatto*, in linea con i principi del Restart metabolico antinfiammatorio, è rappresentato da cereali e pseudocereali non industrialmente raffinati, perché cedono glucosio più lentamente rispetto a quelli raffinati. Potete scegliere tra:

- ***riso integrale***
- ***miglio***
- ***farro (contiene glutine)***
- ***orzo decorticato (contiene glutine)***
- ***quinoa***
- ***teff***
- ***grano saraceno***

Possiamo inserire occasionalmente anche pasta italiana integrale di grano duro.
Sono consentiti in misura di una porzione, ovvero la quantità che potete stringere in un pugno.
Vi consiglio di variare spesso il cereale o pseudocereale da introdurre nell'alimentazione, e soprattutto di non mischiarli insieme nello stesso pasto. La mescolanza potrebbe causare infiammazione.

Il *secondo piatto* è costituito da tre gruppi alimentari tra cui scegliere:

- ***Legumi*** (lenticchie, ceci, piselli, fagioli, fagiolini ecc.). In generale i legumi rallentano l'assorbimento del glucosio, forniscono proteine di buona qualità e aiutano a tener basso il colesterolo.

› ***Pesce*** (salmone e pesce azzurro). Privilegiate il pesce azzurro che, ricco di grassi buoni, ha proprietà antinfiammatorie ma possono essere consumati anche spigole orate ed altri. Il pesce inoltre è una buona fonte di calcio e vitamina D.

› ***Uova***. Attenzione alle cotture (vi rimando al focus di p. 156-158)

Prestate attenzione a non mischiare mai i tre gruppi tra loro e nella stessa giornata. In questi 21 giorni inseriremo sempre *lo stesso gruppo* sia a pranzo che a cena e dopo quattro giorni, il quinto giorno salteremo il secondo (quindi nei giorni 15, 20, 25 e 30 del percorso). Avete dunque a disposizione 17 giorni per inserire i secondi *senza mischiarli*. Vi consiglio di inserire non più di tre volte le uova (considerando che le troviamo anche nella colazione), e poi sette volte i legumi e sette volte il pesce.

Il *contorno* è rappresentato dalle verdure cotte. Alcuni micronutrienti presenti nelle verdure si rendono maggiormente biodisponibili quando sono cotti, ad esempio i carotenoidi come il licopene, contenuto nel pomodoro, o il betacarotene contenuto nelle carote. D'altra parte più è lunga la cottura e più importante sarà la perdita di vitamine e minerali, motivo per il quale è meglio cuocere le verdure solo per pochi minuti. Alcune tradizioni alimentari, come la cucina macrobiotica, cuociono le verdure a fiamma alta per pochi minuti «yanghizzandole», cioè rendendole più yang ovvero, secondo l'antica

filosofia orientale, attivando l'energia vitale dell'alimento.
Durante la fase 3 sia il pranzo che la cena seguiranno una particolare sequenza alimentare, che va rispettata per mantenere stabili i valori di glicemia e insulina nel sangue.
Ecco di seguito le sequenze corrette da seguire.

A pranzo:

- Due respiri profondi prima di mangiare.
- Due bicchieri di acqua naturale e a temperatura ambiente.
- Una porzione di verdure crude come antipasto, a scelta fra quelle consentite dalla stagionalità (vedi Tabella delle stagionalità in fondo al capitolo). Le verdure crude si possono mischiare tra loro.
- Una porzione di un primo piatto da scegliere tra questi cereali: riso integrale, miglio, farro, orzo decorticato, quinoa, teff, grano saraceno.
- Una porzione di un secondo piatto da scegliere tra legumi, pesce o uova.
- Completate i pasti aggiungendo verdure cotte a scelta tra quelle consentite, sia come condimento al primo che come contorno al secondo piatto.
- Date spazio alla fantasia: potete creare piatti unici che includano primo, secondo e verdure cotte.
- Ogni quattro giorni occorre saltare il secondo piatto. Tutto il resto rimane invariato.

A cena:

- Due respiri profondi.
- Due bicchieri di acqua naturale a temperatura ambiente.
- Una porzione di verdura cruda come antipasto.
- Una porzione di un secondo piatto a scelta che dovrà essere dello stesso gruppo alimentare di quello scelto nel pranzo (se avete mangiato uova a pranzo, avrete uova anche a cena).
- Una porzione di verdura cotta.
- Ogni quattro giorni escludete il secondo e ripetete il primo che avete avuto a pranzo. Il resto rimane invariato.

Adesso siete pronti per iniziare l'ultima fase del percorso. Nella prima e seconda fase avete appreso cosa mangiare e come associare i cibi giorno dopo giorno. Arrivati a questo punto conoscete le regole del gioco, avete compreso i principi della dieta antinfiammatoria, sapete quali cibi creano infiammazione e perché, cosa preferire e come fare le migliori associazioni. In quest'ultima fase ricordate di applicare le regole auree, ma anche i trucchi per armonizzare le vostre giornate attraverso un approccio totale che tiene insieme alimentazione, movimento e tecniche antistress: questi 21 giorni saranno l'ultimo step sulla vostra via della guarigione.

SOSTITUTI DELLO ZUCCHERO E MALTI VEGETALI

Lo zucchero, lo abbiamo detto, è assolutamente da evitare. Ma non tutti gli zuccheri sono uguali. Io mi ero rassegnato a una vita amara, senza zucchero. Inizialmente ero passato dallo zucchero bianco a quello di canna, ma in seguito avevo scoperto che spesso quest'ultimo è solo zucchero semolato colorato con caramello (tipicamente lo sono le bustine del bar). Sono fortemente sconsigliati i dolcificanti artificiali, come aspartame e saccarina, che aumentano il rischio di obesità, ipertensione, diabete di tipo 2 e sindrome metabolica. Ma anche i dolcificanti naturali cosiddetti «a zero calorie», come la stevia, non sono esenti da svantaggi ed è sempre bene usarli con estrema moderazione. Il consumo giornaliero massimo consentito di stevia è pari a 4 mg per peso corporeo.

Personalmente non amo il retrogusto di liquirizia della stevia ed è stato dunque con grande entusiasmo che ho «scoperto» il malto d'orzo. I malti di origine vegetale – orzo, riso, avena, frumento, mais – si ottengono dalla macerazione e successiva germinazione del cereale e, oltre a essere facili da digerire, risultano molto meno calorici dello zucchero. Il più comune è il malto d'orzo, che non contiene glutine ma tanta acqua, maltosio (uno zucchero semplice simile al fruttosio), vitamine e sali minerali: ha infatti un potere energizzante ed è consigliato a chi fa sport. Ha un sapore dolce ma non dolcissimo (mentre la stevia e i dolcificanti naturali sono dolci fino a 200 volte più del comune zucchero da tavola) e, a differenza dello zucchero comune che percuote il palato con una sferzata, il gusto del malto entra delicatamente come un assolo di tromba di Chet Baker, per trionfare nel retrogusto che assomma una miriade di sfumature di sapore. Questa gradualità è la sua forza: il malto d'orzo entra in circolo esattamente come il suo sapore, lentamente, non innalzando la nostra glicemia.

RICETTE PER LA FASE 3

› CREMA BUDWIG

La crema Budwig è una ricetta elaborata dalla farmacista tedesca Johanna Budwig (1908-2003: non indico le date di nascita e morte per vezzo, ma per consentirvi di fare le vostre valutazioni) che prevede l'uso di ingredienti esclusivamente a crudo. Catherine Kousmine, medico russo naturalizzata in Svizzera, adottò questa ricetta all'interno del suo metodo, un regime alimentare studiato per diventare uno strumento di cura del cancro. Questa preparazione ha la virtù di nutrire il corpo con proteine, acidi grassi antinfiammatori, vitamine e sali minerali. La presenza di yogurt inoltre sostiene l'eubiosi intestinale ma attenzione a scegliere un prodotto non industriale.

INGREDIENTI

1 cucchiaino di semi di lino macinati al momento • 1 manciata di semi • oleaginosi o frutta secca (semi di girasole, zucca, mandorle, noci, nocciole ecc.) • 1 cucchiaino di miele • 3 frutti di stagione • succo di mezzo limone • 1 cucchiaio di avena o riso fioccati al momento • 125 gr di yogurt biologico bianco senza zucchero (in alternativa: tofu al naturale 75 gr, ricotta magra 100 gr) • Facoltativo: cannella in polvere, zenzero.

PREPARAZIONE

Pulite la frutta, tagliatela a pezzetti e versateci sopra il succo di limone. Fioccate l'avena o il riso con la fioccatrice (il costo dello strumento è basso, e il suo uso è quanto mai opportuno: serve per creare un fiocco dal chicco di cereale intero, ovvero un chicco di cereale schiacciato che potremo digerire meglio) oppure macinate i cereali in un macinino da caffè.
Tritate i semi di lino. Unite tutti gli ingredienti, mescolate con cura e servite. Se vi piace potete aromatizzare la preparazione aggiungendo cannella in polvere o zenzero.

› *YOGURT FATTO IN CASA SENZA YOGURTIERA*

Gli yogurt industriali vengono prodotti utilizzando batteri termofili, che si attivano alla temperatura di 42° e non sono in grado perciò di colonizzare le mucose intestinali. Potete ovviare a questo problema producendo il vostro yogurt a casa, senza bisogno di acquistare una apposita yogurtiera.

INGREDIENTI

1 l di latte intero fresco • 20 gr di fermenti lattici (Streptococcus thermophilus e Lactobacillus bulgaricus)

PREPARAZIONE

Prendete il latte a temperatura ambiente e versatelo in una pentola di acciaio. Accendete il fuoco e portate ad ebollizione. Lasciate sobbollire a fuoco lento per circa 10 minuti asportando la pellicola che si formerà in superficie. Spegnete e aggiungete i fermenti quando il latte avrà raggiunto la temperatura di 25°. Fate la prova mignolo: non deve bruciare ma deve essere tiepido. Ci vorranno circa 30 minuti perché raffreddi a sufficienza. Versate il composto in barattoli chiusi e lasciate riposare per 6-8 ore sotto una coperta che trattenga il calore il più possibile. Potete anche immergere i barattoli in acqua a 40°. Lo yogurt così preparato si conserva in frigo per circa una settimana.

› *PORRIDGE*

La tipica colazione anglosassone è una zuppa di fiocchi d'avena che si prepara in pochi minuti. Completa e nutriente, è un piatto ricco di fibre, proteine e di acidi grassi essenziali e fornirà al nostro organismo un ottimo rifornimento di energia che durerà tutta la mattina.

INGREDIENTI

per il porridge

Una porzione di fiocchi d'avena • Latte (io consiglio quello di sorgo ma a voi la scelta) in proporzione di 4 parti per 1 parte di avena

per il topping

Un cucchiaio di miele d'acacia • Un frutto fresco a scelta • Una porzione di frutta disidratata e/o di frutta secca

PREPARAZIONE

Bastano pochi minuti ai fornelli per preparare un buon porridge. Fate bollire i fiocchi d'avena nel latte finché la consistenza è quella gradita. Il rapporto è 1 parte di fiocchi d'avena e 4 di liquido, ma potete variare a seconda che preferiate un porridge più o meno cremoso. Aggiungete la frutta disidratata (prugne o albicocche secche e simili), frutta secca a piacere e il miele. Ecco pronta una vera e propria esplosione di energia che nutrirà tutte le cellule del vostro corpo.

› LA TISANA METABOLICA

Ecco una tisana formulata per migliorare la conversione del grasso in energia. Chiedete al vostro erborista di fiducia di comporla seguendo questa lista di piante.

INGREDIENTI

Caffè verde · Gymnema sylvestre · Zenzero · Cannella · Curcuma · Ashwagandha

I BENEFICI

L'azione della caffeina e degli antiossidanti contenuti nel caffè verde promuovono la lipolisi. Il tessuto adiposo in eccesso ha la caratteristica di secernere interluchine pro-infiammatorie, motivo per il quale quando l'infiammazione è alta sarà impossibile per l'organismo utilizzare le riserve di trigliceridi stoccate. L'azione della curcuma e dello zenzero si inserisce in questo sistema riducendo lo stato infiammatorio e riattivando la macchina metabolica. Lo zenzero alzerà inoltre la temperatura, permettendo la conversione dei trigliceridi in acidi grassi. Per permettere la conversione degli acidi grassi in energia è importante mantenere bassa l'insulina e alto il glucagone. Questo equilibrio è sostenuto dalle proprietà della Gymnema sylvestre, una pianta poco conosciuta, molto comune in India e Asia, che tra le altre cose inibisce l'assorbimento degli zuccheri a livello intestinale e ne migliora la metabolizzazione a livello cellulare. Questo doppio meccanismo di azione consente una eccellente stabilizzazione dei livelli di glicemia ematici, anche per l'azione sinergica della cannella. Inoltre agisce riducendo il senso di fame nervosa. L'ashwagandha infine sostiene l'umore e l'energia regolando i livelli di cortisolo.

› LA TISANA DEPURATIVA

Questa tisana sfrutta le proprietà depurative e di sostegno degli organi emuntori di bardana e tarassaco, e l'azione antinfiammatoria di orthosiphon e pilosella. Chiedete al vostro erborista di fiducia di comporla seguendo questa lista di piante.

INGREDIENTI

Tarassaco • Bardana • Orthosiphon • Spaccapietra • Pilosella • Liquirizia

I BENEFICI

Quando i tessuti sono particolarmente intossicati si innescano dei sistemi di protezione cellulare dalle tossine acide. Facciamo un esempio: se mi cade della Coca Cola (acida) sul parquet nuovo di zecca prima di attrezzarmi con secchio, acqua, straccio e spazzolone per pulire, verserò velocemente dell'acqua in modo da evitare che possa rovinarsi il lucido del legno. Allo stesso modo si comporta il nostro organismo, che attraverso il meccanismo della ritenzione idrica protegge le nostre cellule. Orthosiphon e pilosella spengono l'infiammazione in sinergia con questo meccanismo, promuovendo al contempo l'eliminazione delle tossine e il gonfiore.
L'organo che si occuperà di processare queste scorie è il rene. Per non sovraccaricare il delicato sistema renale, ho aggiunto alla tisana la spaccapietra, ovvero la cedracca, un'erba officinale che è in grado, tra le altre cose, di inibire le calcificazioni che i processi di neutralizzazione delle tossine possono determinare.

› BARRETTA ENERGETICA FATTA IN CASA

Protagonista degli spuntini della fase 3, la barretta energetica fatta in casa, oltre a essere una vera coccola per il palato, vi offrirà i nutrienti necessari per spezzare la fame e consumare di conseguenza i vostri pasti principali senza la spinta della voracità.

INGREDIENTI

Semi oleaginosi (semi di girasole, sesamo, chia, zucca al naturale)
In alternativa: Frutta secca (mandorle, noci, anacardi, tutti rigorosamente non tostati)
Malto di riso (un cucchiaio ogni 250 gr di semi o frutta secca)

PREPARAZIONE

Mettete la frutta secca o i semi in una padella antiaderente. Fate scaldare su fuoco medio fino a quando non saranno lievemente tostati. Ve ne accorgerete dal caratteristico aroma che si sprigionerà dagli alimenti. A quel punto togliete dal fuoco, aggiungete il malto di riso, mescolate. Versate il composto su un foglio di carta forno leggermente oleato. Spianate e lasciate riposare per cinque minuti, quindi porzionate.
Vi consiglio di preparare sempre piccole quantità di barrette (intorno ai 250 grammi è la proporzione ideale): sono più facili da gestire.
Ricordate sempre di utilizzare un solo tipo di frutta secca o di semi oleaginosi per volta. I mix (gustosissimi, lo ammetto) teneteli solo per le occasioni speciali.

SCHEMA GIORNALIERO PER LA FASE 3

In questo schema troverete la scansione della giornata tipo nella fase 3, completa di workout, alimentazione, stretching e respirazione.
I menu proposti sono suggerimenti che vi propongo per aiutarvi a comporre, partendo dalle regole di base stabilite nel capitolo 7, degli abbinamenti gustosi e bilanciati.
Per la scelta delle verdure e della frutta di stagione potete consultare la tabella di p. 216-218.

GIORNI 11-31

Anche se non è specificatamente indicato ricordate di utilizzare lo strumento della passeggiata metabolica tutte le volte che potete. Una buona indicazione sarebbe di dedicare a questo tipo di attività fisica almeno 40 minuti al giorno.

***Ore 6:00:* sveglia**

Un bicchiere di acqua possibilmente tiepida.

***Ore 6.30:* spuntino pre-workout**

1 cucchiaio di miele di acacia + frutta secca + 1 tazzina di caffè amaro

***Ore 7.00:* workout**

Tonificazione metabolica total body nei giorni **11-13-15-17-19-21-23-25-27-29-31**

Tonificazione muscolare metabolica glutei nei giorni
14-18-22-26-30
Tonificazione muscolare metabolica addome nei giorni
12-16-20-24-28

***Ore 8.00**: colazione a scelta (vedi p. 199)*

〉 ***Non avventatevi sul cibo. Fate prima due respiri profondi, bevete due bicchieri di acqua e masticate lentamente.***

***Ore 10.00:** merenda*

1 frutto fresco + frutta secca ***oppure*** barretta

MENU TIPO
- 1 mela e 4 mandorle

oppure
- 1 pera + 30 g noci brasiliane

oppure
- 10 fragole + un pugno di anacardi

***Ore 13.00:** pranzo*

Antipasto: una porzione di verdure crude di stagione a scelta
Primo: a scelta tra riso integrale, miglio, farro, orzo decorticato, quinoa, teff, grano saraceno
Secondo: a scelta tra legumi, pesce e uova

MENU TIPO
- 2 carote tagliate a rondelle con cipolla tagliata sottile, il tutto condito con un filo d'olio evo e foglie di menta
- Un pugno di quinoa (all'incirca 40 g) condito con zucchine tagliate sottili e ripassate in padella a fiamma vivace con un filo d'olio evo. Aggiungete una manciata di semi di zucca a crudo nel piatto
- Uova alla coque

oppure • Insalata di valeriana e lattuga
• Riso integrale condito con piselli
• Cicoria ripassata in padella

oppure • Puntarelle condite con limone e olio
• Pasta integrale di grano duro italiano condita con rana pescatrice

> ***Completate i pasti aggiungendo verdure cotte a scelta tra quelle consentite sia come condimento del primo che come contorno al secondo piatto.***
> ***Le verdure crude si possono mischiare tra loro.***
> ***Prima di mangiare fai 2 respiri profondi e bevi 2 bicchieri d'acqua.***
> ***Nei giorni 15, 20, 25 e 30 occorre saltare il secondo piatto, tutto il resto rimane invariato***

Ore 16:00: *merenda*

1 frutto fresco + frutta secca oppure 1 barretta

MENU TIPO • 1 mela + 6 noci

Ore 19.30: *sequenza di stretching*

Ore 20.00: *cena*

Antipasto: una porzione di verdura cruda di stagione
Secondo: una porzione a scelta tra legumi, pesce e uova
Contorno: una porzione di verdura cotta di stagione

MENU TIPO • Piatto unico con lattuga, ravanelli, carote tagliate sottili e 2 uova alla coque, tutto condito con un filo di olio evo, limone e una manciata di semi di zucca.
• Asparagi bolliti.

oppure
- Insalata mista condita con un filo d'olio evo e una manciata di semi di lino
- Piselli stufati in padella con un filo d'olio evo
- Bietole bollite all'agro

oppure
- Insalata mista
- Sgombro gratinato al forno
- Vellutata di zucca

〉 ***Prima di mangiare: due respiri profondi, due bicchieri di acqua.***

〉 ***Il secondo dovrà essere scelto nello stesso gruppo di quello del pranzo.***

〉 ***Nei giorni 15, 20, 25 e 30 utilizzate lo stesso primo del pranzo, escludendo il secondo.***

Ore 23:00: *ESERCIZIO DI RESPIRAZIONE*

〉 ***Andrà eseguito nel letto per prepararvi a cadere in un sonno profondo e ristoratore.***

Il giorno 31, alla fine del percorso di Restart metabolico, appena svegli aggiorniamo per l'ultima volta il diario dei risultati. Il momento ideale per prendere le misure è al mattino dopo i bisogni fisiologici. Poi annotatele su questa tabella.

Peso	
Altezza	
Circonferenza torace	
Circonferenza vita	
Circonferenza fianchi	

TABELLA DELLE VERDURE DI STAGIONE

GENNAIO

Bietole, broccoli, carciofi, cardi, carote, catalogna, cavolfiori, cavoli, cime di rapa, cicorie, finocchi, insalate invernali (lattuga, valerianella, insalata Milano), porri, radicchio, rape, spinaci, verza, zucca.

FEBBRAIO

Bietole, broccoli, carciofi, cardi, carote, catalogna, cavolfiori, cavoli, cime di rapa, cicorie, finocchi, insalate invernali (lattuga, valerianella, insalata Milano), porri, radicchio, rape, spinaci, verza, zucca.

MARZO

Agretti, asparagi, bietole, broccoli, carciofi, carote, catalogna, cavolfiori, cavoli, cicorie, cime di rapa, finocchi, insalate invernali (lattuga, valerianella, insalata Milano), porri, radicchio, rape, spinaci, verza.

APRILE

Agretti, asparagi, bietole, broccoli, carote, carciofi, cavoli, catalogna, cime di rapa, cipollotti, fave, finocchi, insalate primaverili (indivia, lattuga, lattughini, scarola), verza.

MAGGIO

Asparagi, bietole, borragine (fiori e foglie), carote, cicorie, cime di rapa, fagiolini, fave, insalate primaverili (indivia, lattuga, lattughini, scarola), piselli, radicchio, ravanelli, rucola, sedano, spinaci.

GIUGNO

Carote, cetrioli, borragine (fiori e foglie), bietole, fagiolini, insalate estive (cicorino, foggiana, lollo, songino, spinacini), melanzane, peperoni, pomodori, portulaca, ravanelli, rucola, sedano, zucchine.

LUGLIO

Barattieri, bietole, borragine (fiori e foglie), carote, cetrioli, fagiolini, insalate estive (cicorino, foggiana, lollo, songino, spinacini), melanzane, pomodori, peperoni, portulaca, ravanelli, rucola, sedano, zucchine.

AGOSTO

Bietole, borragine (fiori e foglie), carote, cetrioli, cicorie, insalate estive (cicorino, foggiana, lollo, spinacini, songino), melanzane, peperoni, pomodori, portulaca, ravanelli, sedano, zucchine.

SETTEMBRE

Bietole, carote, catalogna, cetrioli, cicoria, fagioli, fagiolini, insalate autunnali (chioggia, indivia, lattuga foglia di quercia), melanzane, peperoni, pomodori, porri, ravanelli, sedano, zucca.

OTTOBRE

Bietole, broccoli, carote, catalogne, cavolfiori, cavoli, cime di rapa, finocchi, insalate autunnali (chioggia, indivia, lattuga foglia di quercia), porri, radicchio, ravanelli, sedano, spinaci, verza, zucca.

NOVEMBRE

Bietole, broccoli, carciofi, cardi, carote, cavolfiori, cicorie, cime di rapa, finocchi, insalate autunnali (chioggia, indivia, lattuga foglia di quercia), porri, radicchio, rape, sedano, verza, zucca.

DICEMBRE

Bietole, broccoli, carciofi, cardi, carote, cavolfiori, cicorie, finocchi, insalate autunnali (chioggia, indivia, lattuga foglia di quercia), porri, radicchio, rape, sedano, verza, zucca.

L'avocado non compare in questa tabella perché, in quanto frutto esotico importato da tutto il mondo, è sempre di stagione: d'inverno si trovano quelli spagnoli, israeliani e siciliani, in primavera estate quelli provenienti da Sud Africa, Kenya e Perù. La varietà migliore è quella degli Hass, quelli con la buccia ruvida e scura, tendente al nero. Digeribile, singolarmente povero di zuccheri ma ricco di amminoacidi essenziali, grassi buoni, oltre a un'enorme quantità di vitamine, sali minerali e antiossidanti, l'avocado è un alimento altamente consigliato nel percorso del Restart metabolico.

CAPITOLO 8

Terzo pilastro: la fitoterapia

La fitoterapia tra esperienza antica e scienza

Durante il percorso del Restart metabolico abbiamo appreso che cibo, movimento e respirazione sono vie di benessere e cura. Esistono altri strumenti che possiamo impiegare per coadiuvare il nostro recupero e soprattutto mantenere un pieno stato di salute?

Sono un farmacista e conosco la potenza della scienza farmacologica (non sempre esente da controindicazioni), ma ho avuto anche la fortuna di crescere in una famiglia con una grande cultura nell'ambito delle cure naturali. Ricordo che mia nonna, che viveva in un paese vicino ad Avellino, coltivava, raccoglieva e conservava una serie di erbe curative, ciascuna nella propria stagione. Una sera mi ustionai con delle scintille prodotte dai rami secchi nel camino e lei uscì immediatamente nei campi dietro casa, si diresse sicura vicino a un muretto a secco esposto a nord, dunque ricco di umidità, e prelevò alcuni licheni che poi, con mia grande sorpresa, mi applicò sulle scottature. La cicatrizzazione fu incredibilmente rapida e solo diversi anni dopo ne ho scoperto la ragione: i licheni sono potenti antisettici naturali.

Le piante con i loro fitocomplessi possono fornire un enor-

me aiuto per il ripristino e il mantenimento della salute di ciascuno di noi. Attualmente l'ambito della fitoterapia è noto come medicina alternativa, ma alternativa a cosa? Fin dalla notte dei tempi l'uomo ha imparato a curarsi con le piante, ma negli ultimi secoli la farmacologia si è affermata in modo preponderante e l'antica scienza dell'utilizzo delle proprietà medicamentose naturali è andata perdendosi.
Di recente stiamo però assistendo a un ritorno alle origini. Oggi è possibile utilizzare le ultime scoperte in ambito farmaceutico *assieme* alla potenza curativa delle molecole delle piante.
In questo capitolo non intendo essere esaustivo sull'universo della fitoterapia, ma proverò a illustrarvene le basi, i rudimenti indispensabili per depurare l'organismo, ripristinare la funzionalità di alcuni organi fondamentali e riattivare il metabolismo.
Avete mai provato a preparare un piatto elaborato in una cucina sporca? Il disordine ai fornelli e sui piani di lavoro confonderà le vostre idee, gli ugelli del gas sporchi non vi consentiranno di cuocere perfettamente i vostri cibi. Allo stesso modo iniziare qualunque intervento di cura su un organismo appesantito dalle tossine porterà inevitabilmente a fallire o a ottenere solo risultati parziali e temporanei.

L'uso delle piante come via di cura è stato oggi liberato dal mistero che un tempo ne faceva una pratica quasi stregonesca ed è entrato in un ambito di discussione scientifica, dove le proprietà delle erbe non vengono più accettate come un dogma di fede ma testate, verificate ed eventualmente confutate attraverso rigorosi studi. Tuttavia permangono diversi interrogativi che anche l'approccio scientifico non ha ancora sciolto e in molti casi l'azione terapeutica di alcune piante non è ascrivibile ai singoli principi attivi: come dire funziona ma non sappiamo perché.

Il tutto non è la semplice somma delle parti, le piante hanno un'azione farmacologica dovuta al fitocomplesso, ovvero a una sinergia tra principi attivi la maggior parte dei quali ancora non hanno nome. Il fitocomplesso assicura migliore assorbimento, potenziamento dell'attività terapeutica per le azioni sinergiche, e attenuazione di effetti collaterali.
Come vedremo, qui non si tratta di scegliere se parteggiare per la fitoterapia o per la farmacologia moderna, ma riuscire a integrare entrambi gli approcci nell'interesse unico di lenire gli stati di salute alterati nella maniera più efficace, rispettosa e sicura.

Il fitocomplesso

La chimica farmaceutica moderna è ancora molto lontana dall'eguagliare la complessità dei fitocomplessi presenti in natura. Sarebbe come paragonare la complessità architettonica del Duomo di Milano a una casetta fatta coi mattoncini Lego.
Alcune piante sono «magiche» e seguono una via metabolica di azione completamente diversa a seconda delle necessità della persona, questo perché le piante contengono principi attivi che lavorano in sinergia, modulando la risposta e diminuendo la eventuale tossicità dei singoli elementi e riducendone gli effetti collaterali: i flavonoidi presenti nelle foglie dell'atropa belladonna migliorano l'assorbimento dell'atropina, le saponine presenti in alcune piante (ad esempio basilico, liquirizia, ma anche quinoa e spinaci) permettono una migliore biodisponibilità dell'intero fitocomplesso, la vitamina C, i flavonoidi e i carotenoidi della rosa canina costituiscono una unità inscindibile che la rende uno dei più potenti antiossidanti al mondo,

l'angelica si comporta come un tonico nelle donne asteniche e produce effetti sedativi su soggetti iperattivi.

Restart metabolico e fitoterapia

La maggior parte delle persone che si rivolgono a me per perdere peso, accusano disturbi a livello di stomaco (reflusso o acidità), di intestino (meteorismo, stipsi, scariche, dolori addominali), difficoltà digestive, stanchezza cronica, crampi, emicrania, cellulite, tensione nervosa. Tutti si aspettano un rimedio che intervenga immediatamente sul sintomo: fermenti lattici specifici per il meteorismo, lassativi per la stipsi, antiacidi per il reflusso e così via. Restano invariabilmente sorpresi quando consiglio piuttosto di iniziare depurando gli organi emuntori e il tessuto endoteliale, e la sorpresa aumenta quando, per sintomi simili, ciascuno riceve un'indicazione fitoterapica personalizzata, diversa da caso a caso e da persona a persona.
Ogni persona è unica e il rimedio fitoterapico è come una camicia di sartoria: deve calzare a pennello. Per valutare quale sia l'erba più adatta da prescrivere occorre interpretare la salute dell'individuo considerandola come il risultato dell'equilibrio di tre funzioni vitali:

1 〉 *introduzione degli elementi nutritivi*
2 〉 *metabolismo*
3 〉 *eliminazione delle scorie metaboliche (tossine).*

Quando le tossine restano intrappolate nei nostri tessuti e si concentrano, l'organismo risulta intossicato e manifesta sintomi fisici (arrossamento congiuntivale, turgore palpebrale, naso chiuso, lingua patinata, bocca impastata e scarsa salivazione, alitosi, prurito al cuoio capelluto, cefalea, malessere generale, problemi cutanei, vertigini, astenia, crampi, problematiche all'asse stomaco-intestino, rallentamento del metabolismo con sovrappeso, ipercolesterolemia, trigliceridi alti, ipertensione) e psicologici (cattivo umore, depressione, svogliatezza, ansia, confusione, stordimento, memoria labile, difficoltà di concentrazione).

L'intossicazione può avere infinite cause: stress emotivo e fisico, stile di vita poco sano, scarsa idratazione, scelte alimentari sbagliate, eccessivo utilizzo di farmaci, inquinamento ambientale. Per fortuna siamo dotati di organi emuntori, che si occupano di eliminare le tossine dall'organismo per non lasciarle accumulare: dobbiamo ringraziare per questo, tra gli altri, il fegato, i polmoni, l'intestino, la pelle, i reni, il sistema linfatico.

Come abbiamo visto nei capitoli precedenti le tossine hanno la caratteristica di essere acide e quando gli organi emuntori non bastano a eliminarle l'organismo fa scattare dei meccanismi alternativi che portano a effetti collaterali spiacevoli: impoverimento del calcio nelle ossa, perdita di magnesio nei muscoli e ritenzione idrica sono tra questi. Quando assumiamo sostanze xenobiotiche (ad esempio farmaci) rischiamo di ridurre al minimo i valori dei nostri antiossidanti, come il Coenzima Q10 e il glutatione. La carenza di Coenzima Q10 è collegata a stanchezza cronica e problematiche cardiovascolari. Quella di glutatione è collegata a permeabilità intestinale e accumulo di metalli pesanti come il nichel.

La fitoterapia può venirci in soccorso nel contrasto all'intossicazione del nostro organismo, e fornisce risposte veloci se utilizzata nella giusta maniera e con consapevolezza.

Il protocollo fitoterapico per avere una buona *compliance* (adesione alla cura da parte del paziente) ed essere accessibile a tutti non deve superare i tre rimedi assunti contemporaneamente:

- un ***rimedio di base*** per agire sul terreno costituzionale del soggetto, quindi in profondità
- un ***rimedio attivo sul sintomo***
- un ***rimedio attivo sulla causa*** presunta del sintomo.

Ad esempio a un soggetto che soffre di crampi ai muscoli delle gambe consiglieremo del magnesio, che nel breve periodo interverrà sul sintomo. Ma per intervenire sulla prima causa della carenza di magnesio consiglieremo un complesso di tinture madri a base di cardo mariano, carciofo e tarassaco, che depureranno il fegato dalle tossine in eccesso.
Ho creato un questionario a punteggio che vi guiderà nell'impostazione di un protocollo fitoterapico personalizzato. Il protocollo è costituito da un mix di tinture madri, gemmoderivati, tisane o integratori alimentari che possono essere reperiti in qualsiasi farmacia, parafarmacia o erboristeria. Il protocollo fitoterapico sarà da intendere come facoltativo. Abbinato alle tre fasi del Restart metabolico vi aiuterà a ottenere risultati più rapidi, ma non è indispensabile per la buona riuscita del percorso di 31 giorni.
Il rimedio di base che vi consiglierò, uguale per tutti, è un rimedio universale per chi inizia il percorso della depurazione metabolica e si compone di tre gemmoderivati diluiti alla 1DH[8]: betula pubescens, rosmarinus officinalis e vaccinium vitis idaea.
Il questionario vi aiuterà a scegliere le altre due preparazioni da aggiungere al protocollo.

8 DH è una unità di misura usata in omeopatia per indicare il grado di diluizione.

Il rimedio di base

I gemmoderivati sono strumenti fitoterapici che si ottengono partendo dai germogli o dai giovani getti delle piante, che prima vengono messe a bagno in un solvente costituito da acqua, alcol e glicerolo e poi vengono diluite alla 1DH.
Questa tipologia di preparazione consente al rimedio di drenare le matrici extracellulari riducendo l'infiammazione e modulando la risposta immunitaria. Attraverso le tecniche di drenaggio è possibile liberare l'organismo dalle scorie metaboliche che si sono accumulate inceppando il metabolismo. I benefici di questa terapia sono molteplici:

- ***stimolo all'attività di pulizia di fegato, reni, intestino, pelle, polmoni***
- ***migliore gestione delle tossine da parte del sistema connettivale e del reticolo endoteliale.***

Qualsiasi strategia di cura, attuata dopo una pulizia profonda dell'organismo, determina migliori effetti terapeutici. I sintomi e gli squilibri regrediscono più rapidamente e in una forma più stabile.
È importante impostare un approccio di drenaggio a livello connettivale ed endoteliale, perché le tossine accumulate in questi distretti possono sostenere dei focolai di infiammazione cronica sistemica di basso grado.
Il rimedio di base del nostro protocollo fitoterapico è costituito da tre gemmoderivati:

1. la ***betula pubescens***: manifesta un particolare trofismo per il sistema reticoloendoteliale e presenta, pertanto,

una grande potenzialità drenante. Il sistema reticoloendoteliale, i cui elementi sono presenti nei noduli linfatici, nella milza, nel fegato, nel midollo osseo e nei polmoni, riveste, insieme ai globuli bianchi, un ruolo importante nella difesa contro gli agenti patogeni. Il gemmoderivato di betula pubescens è in grado di potenziarne sia l'azione antinfiammatoria sia quella disintossicante. Svolge inoltre un'intensa azione diuretica, depurativa, contrasta la formazione di calcoli, l'uricemica, l'azoturia, e la colesterolemia. È di grande aiuto nei pazienti cardiopatici con ritenzione idrica, così come negli obesi.

2 〉 il ***rosmarinus officinalis***: ottimo antiossidante, riduce i radicali liberi, svolge un'azione antinfiammatoria, stimola la corteccia surrenalica aiutando ad aumentare la reattività in casi di forte stress, migliora il tono dell'umore eliminando stanchezza e spossatezza.
Il gemmoderivato di rosmarino stimola e sostiene la funzionalità del sistema del reticoloendoteliale ed è utile in caso di dismetabolismo a livello lipidico e proteico.
I flavonoidi, molecole antiossidanti che stimolano la combustione dei grassi, svolgono una potente azione disintossicante e depurativa sul fegato (abbassando così il colesterolo «cattivo»), sulla colecisti e sulle vie biliari. Svolgono inoltre una benefica attività sulla circolazione e contrastano gli inestetismi cutanei come la cellulite.

3 〉 il ***vaccinium vitis idaea***: meglio conosciuto come mirtillo rosso, è specifico per il drenaggio intestinale, combatte le disbiosi e regolarizza la funzionalità e la motilità intestinale, sia in casi di stipsi che di dissenteria. Sostiene la funzio-

nalità enzimatica intestinale e il ripristino del microbiota. Agisce sui processi degenerativi dei tessuti contrastandone l'invecchiamento a livello vascolare (arterioso e venoso), connettivale e organico. Ottimo per le donne, in quanto contrasta l'atrofizzazione delle ovaie e aiuta a riequilibrare la carenza estrogenica tipica della menopausa, più in generale è utile in tutti i casi in cui si presenta ialinizzazione[9] dei tessuti o degli organi (per esempio nel fibroma uterino, nell'invecchiamento connettivale o nell'arteriosclerosi).

L'uso sinergico di betula pubescens, rosmarinus officinalis e vaccinium vitis idaea consente di drenare il terreno di ciascun organismo[10] e invertire i processi di invecchiamento, riducendo così l'incidenza delle molte patologie alle quali lo stile di vita moderno ci espone con sempre maggiore frequenza.
Si consigliano 60 gocce del preparato completo. Se non riuscite a trovare il rimedio già pronto potete utilizzare 20 gocce per ciascun rimedio, da diluire in un bicchiere d'acqua e bere al mattino, a stomaco vuoto.

9 *Processo degenerativo per cui un tessuto o una struttura diviene denso, disomogeneo e traslucido.*

10 *Il drenaggio di terreno in gemmoterapia consiste in una stimolazione lieve e prolungata nel tempo degli organi emuntori, per favorire l'eliminazione di tossine o residui catabolici che si accumulano nell'organismo in conseguenza di abusi nell'alimentazione, assunzione di farmaci e dell'inquinamento atmosferico. Il drenaggio elimina i metaboliti che si liberano dal continuo ricambio cellulare, svolgendo un'azione stimolante sul Sistema Reticolo Endoteliale (SRE), deputato a fagocitare e neutralizzare tossine e sostanze estranee dall'organismo umano.*

Il questionario fitoterapico

Passate adesso alla compilazione del questionario, che vi guiderà a definire gli altri due rimedi da includere nel protocollo fitoterapico. Vi basteranno pochi minuti. Procuratevi un foglio e una penna e per ciascun gruppo di domande annotate i punteggi realizzati. Calcolare i punteggi è semplice: accanto a ciascuna voce trovate indicato un valore tra parentesi. Per ciascun blocco sommate i valori corrispondenti alle affermazioni che corrispondono alla vostra situazione. Per esempio se soffrite di reflusso e dolore retrosternale, nel primo blocco totalizzerete un punteggio di 20. Nel caso in cui soffriste di tutti i sintomi relativi a questo blocco, il punteggio sarebbe 50. Completate il questionario e prendete nota dei blocchi in cui avete totalizzato più punti: vi darà un'indicazione precisa per la scelta delle piante che andranno a completare il vostro protocollo.

BLOCCO 1

☐ reflusso (10)
☐ acidità (10)
☐ dolore retrosternale (10)
☐ abbassamento della voce (10)
☐ sensazione acida nella gola (10)

Rimedio di riferimento: **ficus carica gemmoderivato**

BLOCCO 2

☐ meteorismo (10)
☐ dolori addominali (10)
☐ stipsi (10)
☐ scariche (10)
☐ feci non formate (10)

☐ feci dure come sassi (20)
☐ cistiti (20)
☐ micosi (20)

Rimedio di riferimento: **curcuma, prebiotici e probiotici**

BLOCCO 3

☐ stanchezza cronica (10)
☐ crampi (5)
☐ dolori osteoarticolari (5)

Rimedio di riferimento: **magnesio**

BLOCCO 4

☐ fame nervosa (10)
☐ insonnia (20)
☐ difficoltà a prendere sonno (10)
☐ risvegli notturni (20)
☐ sonno non ristoratore (10)

Rimedio di riferimento: **melissa e camomilla**

BLOCCO 5

☐ assunzione di farmaci in cronico (20)
☐ assunzione di farmaci al bisogno ma più di una volta al mese (10)
☐ dermatiti (10)
☐ bocca amara al risveglio (10)
☐ bocca impastata al risveglio (10)
☐ assunzione di meno di ½ litro di acqua al giorno (10)
☐ assunzione di più di 2 litri al giorno (5)
☐ stanchezza cronica (10)
☐ patologie autoimmuni (20)

Rimedio di riferimento: **glutatione e vitamina D**

RISULTATI

› SE AVETE TOTALIZZATO PIÙ PUNTI NEL GRUPPO 1: FICUS CARICA

Dovete fare attenzione alla salute del sistema digerente. Consiglio di associare il **ficus carica**, nome botanico del comune albero del fico, diffusissimo sulle coste mediterranee.
L'uso del gemmoderivato di ficus carica è consigliato in tutti i casi di problematiche digestive a carico di stomaco e intestino (reflusso gastroesofageo, gastriti, ulcere duodenali, dispepsia o ipotrofia della mucosa gastrica e intestinale). Recenti studi clinici incoraggiano l'uso di questo gemmoderivato in caso di ulcere che non rispondono ai trattamenti classici, soprattutto in caso di recidive. Il gemmoderivato di fico infatti esercita un controllo meraviglioso della sintomatologia perché riduce l'attività dei centri nervosi che controllano la secrezione acida dello stomaco. Dopo trattamenti prolungati (anche due anni) con ficus carica, all'esame radiologico si è osservata una scomparsa delle ulcere nel 60 per cento dei casi, valore che sale all'80 per cento quando il ficus è stato assunto in associazione con altri gemmoderivati come l'alnus glutinosa e il ribes nigrum.

Come assumere il gemmoderivato di ficus carica

In caso di gastrite e colite: 30-50 gocce diluite in poca acqua, da assumere 15 minuti prima di pranzo e cena.
In caso di ulcera aumentare il dosaggio a 70 gocce in un'unica somministrazione al mattino, per un periodo di almeno due mesi. Successivamente è consigliabile passare a un dosaggio

di mantenimento di 50 gocce per venti giorni al mese, oppure 30 gocce da suddividere in tre volte al giorno, prima dei pasti.

〉 SE AVETE TOTALIZZATO PIÙ PUNTI NEL GRUPPO 2: CURCUMA E PRE E PROBIOTICI

Il vostro intestino ha bisogno di maggiori cure: tutti i sintomi di questo blocco sono riconducibili a una disbiosi intestinale. Per agire sui sintomi si possono assumere fermenti lattici (**prebiotici** e **probiotici**) ma questi, colonizzando la mucosa intestinale senza agire sullo stato infiammatorio viscerale, non risolverebbero in maniera definitiva il problema. La chiave di volta è agire direttamente sull'infiammazione dell'intestino prima di iniziare l'assunzione dei fermenti. Immaginate di voler piantare un bosco in un terreno ancora in fiamme: ovviamente non sarà possibile e occorrerà prima spegnere l'incendio. Qui ci regoleremo allo stesso modo: prima tratteremo lo stato infiammatorio intestinale con erbe specifiche, poi agiremo con i fermenti.
La natura ci offre moltissime possibilità ma la migliore in questo caso è la curcuma longa, una straordinaria radice sconsigliata solo a chi presenta affezioni acute dell'intestino come rettocoliti ulcerose o morbo di Crohn. A loro consiglio l'uncaria, che ripristina l'eubiosi intestinale e ha un'azione immunomodulante.

Curcuma longa

Le proprietà della curcuma sono state studiate e confermate clinicamente. La sua attività principale è quella antinfiammatoria, perché va ad inibire l'NF-KB, ovvero l'interruttore dell'infiammazione cronica che si trova all'interno del citoplasma. L'NF-KB è un complesso proteico che si attiva in risposta a qualunque tipo di stimolo pro-infiammatorio (acidosi sistemica indotta da alimenti raffinati o troppa carne, contatto con batteri, virus, funghi, traumi), inviando segnali all'interno del nucleo della cellula per aumentare la produzione di citochine pro-infiammatorie. La mancata interruzione di questo processo porta inevitabilmente alla cronicizzazione dello stato infiammatorio, o «infiammazione di basso grado». La curcuma è dunque utilissima nel trattamento di tutte le malattie infiammatorie degenerative croniche e in caso di sovrappeso. Riducendo l'infiammazione, migliora la flora batterica intestinale, risolve putrefazioni e fermentazione alla base della maggior parte delle affezioni intestinali ed è utilmente impiegata nella prevenzione del tumore al colon. Inoltre ha una potente azione antiossidante, inibisce le perossidazioni lipidiche e contrasta così gli squilibri del colesterolo ma anche delle altre patologie correlate alla sindrome metabolica, riducendo circonferenza vita, ipertensione, iperglicemia, iperinsulinemia.

Come assumere la curcuma

I principi attivi della curcuma sono liposolubili, quindi per assorbirli non basterà condire i piatti con polvere di curcuma, ma occorrerà scioglierli in olio (olio extravergine di oliva, oppure Omega-3 a loro volta antinfiammatori, antiossidanti e stimolanti il metabolismo). Inoltre, la curcumina è una molecola molto grande e il suo assorbimento è spesso inibito dall'impossibilità di superare le giunzioni strette a livello intestinale. Per ovviare a questo problema è opportuno aggiungere alla curcuma del pepe nero, che grazie alla piperina può dila-

tare temporaneamente queste zone di assorbimento. Attenzione a non esagerare con le quantità però, perché il pepe nero può indurre infiammazione e permeabilità intestinale.
Per riequilibrare l'intestino dopo l'uso del pepe è possibile usare del crespino il cui principio attivo, la berberina, richiude le giunzioni strette intestinali che il pepe può aver irritato, oltre a migliorare il metabolismo dei grassi.

LA CURCUMINA FA DIMAGRIRE?

Spesso ci siamo imbattuti in pubblicità che presentavano la curcuma come un vero e proprio brucia grassi. È realmente possibile? Purtroppo no. La curcuma non brucia assolutamente nulla, la sua azione è quella di inibire l'iperplasia adiposa, ovvero la creazione di nuovi adipociti, le cellule di stoccaggio del grasso (ciò di cui sono fatte le nostre maniglie dell'amore!).

Prebiotici e probiotici

Se rispondendo al questionario avete totalizzato un punteggio alto con una combinazione di sintomi intestinali, sarà necessario provvedere a una opportuna integrazione di fermenti lattici. I probiotici sono unità microbiche vive che, se introdotte in adeguata concentrazione a livello intestinale, possono contribuire a una colonizzazione. I prebiotici invece sono lo «zainetto con la merenda» per i microbi in gita nel nostro intestino. I ceppi probiotici che hanno dimostrato maggiore efficacia nel ripristino di un corretto equilibrio del nostro microbiota intestinale appartengono ai Lactobacillus e al Bifidobacterium. Diversi studi condotti su animali e esseri umani hanno dimostrato che nell'85 per cento dei casi questo tipo di integrazione ha successo, determinando non solo benefici sulla funzionalità intestinale in termini di assimilazione dei nutrienti e di riduzione dello stato infiammatorio, ma anche una decisiva riduzione del peso corporeo e più precisamente del quantitativo di massa grassa.

Come assumere prebiotici e probiotici

L'idea è introdurre dei batteri (probiotici), che devono arrivare vivi nell'ambiente intestinale per colonizzarlo. Possiamo immaginare questi batteri come veri e propri coloni che dovranno costruire le loro case all'interno del nostro intestino. Gli studi hanno dimostrato che assumendo i probiotici in corrispondenza di un pasto contenente fibre questi avranno maggiore possibilità di attecchire nell'intestino. Assumiamo dunque i probiotici insieme ai prebiotici quando mangiamo frutta o verdura durante la giornata, seguendo le dosi indicate sulla confezione. Il momento ideale? Nelle merende a metà mattina e a metà pomeriggio.
Sul mercato sono disponibili diversi ottimi integratori alimentari in grado di sostenere l'eubiosi intestinale, ma non è detto che sia necessario rivolgersi agli integratori per introdurre i preziosi pre e probiotici nel nostro organismo. È una scelta che può rivelarsi necessaria in situazioni particolarmente acute, ma in linea generale è di gran lunga preferibile adottare uno stile alimentare equilibrato, che unisca l'abbondante consumo di cibo fresco e vitale, per le fibre, a preparazioni tradizionali fermentate (olive fermentate del sud Italia, crauti tedeschi, yogurt indiano, kefir, per dirne solo alcune) per quanto concerne

OBESITÀ E MICROBIOTA

L'obesità e le malattie metaboliche a essa correlate dipendono da uno squilibrio del nostro microbiota, quell'insieme di specie microbiche – soprattutto batteri, ma anche virus, funghi, protozoi – che abitano dentro di noi. Un intestino in disequilibrio infatti indurrà l'accumulo di chili in eccesso e ci metterà nella condizione di sviluppare diabete, pressione alta e ipercolesterolemia.
Quali caratteristiche ha il microbiota di un soggetto magro? Alla ricerca di questa risposta molte équipe hanno cercato di identificare i batteri della pancia piatta. Pur non arrivando a una risposta conclusiva, questi studi si sono rivelati decisivi per comprendere che un'alta differenziazione di specie batteriche nel microbiota è alla base non solo della magrezza, ma anche della salute in senso generale. Abbiamo sempre pensato che tutto dipendesse dalla componente ereditaria del microbiota, ovvero dal mix microbico «di partenza» che ciascuno di noi riceve dalla propria madre alla nascita, ma si è scoperto invece che questo incide solo per una parte, mentre fattori ambientali come l'alimentazione e le emozioni determinano in modo molto più marcato la composizione e differenziazione del microbiota. Anche il miglior corredo microbiotico può essere alterato da un'alimentazione scorretta o da una pessima gestione degli aspetti emotivi, così come è possibile riequilibrare la più disastrosa disbiosi con le giuste scelte alimentari e con le tecniche di rilassamento e respirazione. Tuttavia alcune disbiosi, se protratte troppo a lungo nel tempo, possono determinare l'estinzione di alcuni ceppi batterici e in questi casi l'uso di pre e probiotici si rivela una pratica efficace.

l'apporto della quota batterica. Alimenti come verdura cruda e di stagione, frutta, frutta secca, legumi e cereali in chicchi contengono fibre prebiotiche che sostengono la crescita di ceppi batterici «buoni» della famiglia dei bifidobatteri e lactobacilli. Il metodo del Restart metabolico è strutturato in modo tale da fornirvi tutti i nutrienti necessari per sostenere la naturale eubiosi intestinale. Non è un caso che la prima parte del percorso (il reset intestinale) preveda il frullato metabolico, ricco di prebiotici naturalmente presenti negli alimenti vivi e di stagione.

› SE AVETE TOTALIZZATO PIÙ PUNTI NEL BLOCCO 3: MAGNESIO

Se nelle risposte al questionario avete totalizzato un punteggio maggiore nel blocco 3, quindi vi sentite stanchi, privi di energia e magari la sera quando stendete le gambe soffrite di crampi, è altamente probabile che abbiate una carenza di **magnesio**, che come abbiamo visto nel capitolo 2 è il vero genio della lampada della nostra salute. Una buona integrazione di questo minerale risolverà rapidamente gli stati di stanchezza con frequenti mal di testa, crampi e dismenorrea.
Ma non solo: il magnesio è un cofattore cruciale per l'entrata del glucosio nella cellula e per il metabolismo dei carboidrati. Diversi studi hanno provato infatti che l'assunzione di magnesio attenui l'insulino-resistenza e la sindrome metabolica. In commercio esistono molti integratori: citrato (contiene acido citrico ed è ottimo per chi fa attività fisica), cloruro di magnesio (o magnesio marino, facilmente assimilabile), magnesio pidolato (che grazie all'acido pidolico garantisce che il magnesio arrivi dritto nello stomaco), ecc. Ogni formulazione è diversamente biodisponibile.

Ancora una volta devo sottolineare che il modo migliore per assorbire il magnesio è assumendolo con il cibo fresco: è facile perché il magnesio abbonda in natura e lo troviamo ovunque, dalle verdure alla frutta fresca e secca, ai semi oleaginosi, fino all'acqua. Gli alimenti che ne contengono di più sono i vegetali a foglia verde, le banane e i datteri, le arachidi, il cioccolato (specialmente quello fondente), i cereali integrali, seguiti da legumi e frutta secca e disidratata.
Nel caso in cui i sintomi siano di grado severo, o il fabbisogno individuale fosse molto alto (per esempio in caso di gravidanza, allattamento, stato di stress cronico, disbiosi intestinale) sarà opportuno provvedere a una integrazione di magnesio biodisponibile sotto altra forma.

LA POSOLOGIA

Il magnesio è un minerale fortemente basico. Per questa ragione assumere magnesio nelle ore serali (proprio pochi minuti prima di andare a dormire) sostiene i naturali processi di riequilibrio acido-base e di stimolazione parasimpatica che avvengono nel nostro corpo mentre dormiamo. Le dosi sono indicate sulla confezione dell'integratore.

› SE AVETE TOTALIZZATO PIÙ PUNTI NEL BLOCCO 4: CAMOMILLA E MELISSA

Non riposate bene e soffrite di attacchi di fame nervosa: il corpo parla chiaro. È necessario ridurre il vostro grado di stress. Ci vengono in soccorso due erbe officinali di lunga tradizione e la cui efficacia è stata dimostrata da numerosi studi: camomilla e melissa.

Camomilla

La usavano già gli antichi egizi, i greci e i romani. Ha effetti benefici sul sistema nervoso (azione ansiolitica e sedativa dovuta all'apigenina, che ha una notevole affinità per i recettori centrali delle benzodiazepine), oltre a grandi proprietà antinfiammatorie, battericide e antifungine (grazie ai flavonoidi e al suo principio attivo, il camazuazulene, dalle proprietà antinfiammatorie). Il bisabololo, un alcol che si ottiene distillando l'olio essenziale di camomilla, è calmante e addolcente ed è indicato per proteggere la pelle, soprattutto dai danni causati dai raggi ultravioletti, ma è utile anche nel trattamento delle ulcere.

Melissa officinalis

La melissa combatte stress e insonnia grazie alle sue proprietà antiossidanti e antispasmodiche. È indicata nel trattamento di tensione nervosa, disturbi del sonno, disturbi gastrointestinali, spasmi di origine nervosa e per uso esterno nel trattamento dell'herpes. Svolge infatti un'azione batteriostatica e antifungina ed è stata dimostrata una funzione antivirale su diversi tipi di herpes (labiale, genitale, ecc.) dovuta alle sostanze polifenoliche.
Gli estratti di melissa bloccano i recettori del TSH e le immunoglobuline stimolanti la tiroide che inducono una produzione eccessiva di ormoni tiroidei.

L'olio essenziale di melissa ha un'azione sedativa e spasmolitica ed è impiegato nel trattamento degli stati d'ansia che si riflettono sull'apparato gastroenterico.

LA POSOLOGIA

Si consiglia l'utilizzo della tintura madre di melissa, in associazione alla tintura madre di camomilla con un dosaggio di 10 gocce dopo colazione, 15 gocce dopo pranzo e 25 gocce dopo cena. Proseguite l'assunzione per l'intera durata del percorso.

› *SE AVETE TOTALIZZATO PIÙ PUNTI NEL BLOCCO 5: GLUTATIONE*

L'ultimo blocco include una serie di disturbi o attività abituali che indicano un impoverimento di glutatione nell'organismo. Il glutatione è un peptide costituito da tre amminoacidi (acido glutammico, cisteina e glicina), si trova principalmente nel fegato e la sua funzione è quella di chelare i metalli pesanti, completare la metabolizzazione degli xenobiotici ed è tra i principali antiossidanti del nostro organismo.
In condizioni fisiologiche normali il nostro organismo è in grado di produrre la giusta quantità di glutatione utile a contrastare lo stress ossidativo ma l'assunzione di farmaci, l'inquinamento e altre condizioni contingenti possono determinare una deplezione di questo prezioso alleato della nostra salute. Per questo motivo sempre più spesso risulta indispensabile una sua integrazione.
La carenza di glutatione è collegata a permeabilità intestinale, accumulo di metalli pesanti e sovrappeso.

Integrare il glutatione aiuterà a ripristinare le giunzioni strette intestinali e aumentare l'ossigenazione cellulare, indispensabile per attivare la beta ossidazione degli acidi grassi (il modo in cui ricaviamo energia dai grassi).
Il glutatione è scarsamente biodisponibile, proprio per il suo assetto molecolare, infatti i 3 amminoacidi vengono scissi a livello gastrico e non possono più essere utilizzati. In questo contesto risulta vantaggioso introdurre i suoi due precursori, N-acetilcisteina e NADH 7mg (o coenzima 1), disponibili in commercio in forma di integratori.

LA POSOLOGIA

Per l'intera durata del percorso assumete 220 mg di N-acetilcisteina, 50 mg di glutatione, 37 mg di NADH. Chiedete in farmacia, parafarmacia o erboristeria, dove esistono ottime formulazioni già pronte.

CONCLUSIONE

E adesso?

Complimenti, avete terminato il percorso del Restart Metabolico e, se avete applicato il metodo per intero, vi sarete resi conto della sua efficacia e avrete capito come far ripartire il vostro metabolismo, in modo che utilizzi i depositi di grasso (energia potenziale) per convertirli finalmente in energia.
Riguardando le tabelle dei risultati avrete notato una significativa riduzione dei valori di circonferenza e peso. Inoltre mi aspetto che in queste settimane siano migliorati i vari disturbi – quelli del tratto gastrointestinale e non solo – che vi accompagnavano durante la giornata.
A questo punto, quando il percorso è terminato ed è alle nostre spalle, la domanda che tutti mi pongono è sempre la stessa: «E adesso? Dovrò continuare con il regime alimentare della fase 3, altrimenti perderò tutti i risultati raggiunti?»
La bella notizia è che i risultati raggiunti saranno duraturi nel tempo, perché in questi 31 giorni avete finalmente depurato il vostro organismo dalle tossine acide che lo soffocavano, riducendo l'infiammazione e lo stress ossidativo. Ricordate che l'organismo umano tende naturalmente a uno stato di salute, se posto nelle condizioni ideali.
Cosa fare, dunque, dopo il programma?
Non pretendo di imprigionare nessuno a vita all'interno di uno schema alimentare con troppi paletti. Durante i 31 giorni del Restart metabolico avete appreso un modo diverso di alimentarvi, muovervi, gestire le vostre attività: avete sperimen-

tato un nuovo stile di vita che, se messo in pratica, è in grado di indirizzarvi verso un pieno stato di benessere, liberandovi da dolori o fastidi «imbarazzanti» come il meteorismo o il gonfiore addominale, ma anche quel generale senso di affaticamento che è il segno inequivocabile di un organismo in affanno.

Per mantenervi in forma dopo i 31 giorni del Restart, basta che facciate vostre queste semplici attenzioni:

1> Bevete sempre un bicchiere di acqua a temperatura ambiente al risveglio.

2> Fate una colazione completa e ben bilanciata, che vi permetta di assumere carboidrati, grassi buoni, proteine, fibre, minerali e vitamine.

3> Ricordate che il momento migliore per mangiare la frutta fresca e di stagione è negli spuntini, lontano dai pasti. Associatela a frutta secca o semi oleaginosi, senza esagerare.

4> Bevete sempre un bicchiere di acqua prima di mangiare (prima dei pasti principali).

5> Mangiate una porzione di verdure crude di stagione prima di mangiare qualsiasi cosa (durante i pasti principali).

6> Mangiate con calma masticando bene.

7> Fate spazio a un momento di felicità nella vostra giornata.

8> Cercate di muovere il vostro corpo camminando il più possibile.

9> Bevete il caffè dopo i pasti, mai da solo.

10> Evitate cibi raffinati e industrialmente lavorati.

11> Evitate di mescolare fonti proteiche differenti nello stesso pasto (es. prosciutto e formaggio).

12 › Dedicate un momento della giornata, magari la sera, alla respirazione: fate dei respiri profondi circolari per ridurre lo stress.

13 › Cercate di farvi scivolare addosso i pensieri intrusivi.

Sono 13 gesti di cura e benessere che, al termine della lettura di questo libro, probabilmente vi sembreranno banali, ma in questi 31 giorni avete sperimentato sulla vostra pelle la loro potenza. Anche chi era in forte sovrappeso, dopo un primo ciclo di Restart metabolico è pronto per proseguire la strada iniziata verso il dimagrimento: il vostro metabolismo continuerà il suo processo se voi continuerete a seguire le regole fondamentali apprese in questo mese. Se le porterete con voi nella quotidianità della vostra vita, loro vi aiuteranno a mantenere (e incrementare) i risultati ottenuti.

Per chi volesse restare sempre aggiornato sulle mie attività, ogni giorno potete trovare nuovi video e materiali sui miei canali social:

Facebook: *Dott. De Mari*

Instagram: *@dott.demari*

YouTube: *Fitoterapia, nutrizione e sport Dott. De Mari*

CONSIGLI DI LETTURA

Bob Anderson, *Stretching*, Edizioni Mediterranee, Roma 2018.

Domenica Arcari Morini, Anna D'Egenio, Fausto Aufiero, *Il potere farmacologico degli alimenti*, Red!, Milano 2005.

Franco Berrino, *Il cibo dell'uomo*, Franco Angeli, Milano 2015.

Franco Berrino, Luigi Fontana, *La grande via*, Mondadori, Milano 2017.

Franco Berrino, Daniel Lumera, David Mariani, *Ventuno giorni per rinascere*, Mondadori, Milano 2018.

Franco Berrino, Daniel Lumera, *La via della leggerezza*, Mondadori 2019.

Franco Berrino, Marco Montagnani, *Il cibo della saggezza*, Mondadori, Milano 2020.

Francesco Bottaccioli, *Psiconeuroimmunologia*, Red!, Milano 2001.

Lise Bourbeau, *Le 5 ferite e come guarirle*, Amrita, Giaveno 2002.

Francesco Capasso, *Farmacognosia*, Springer, Milano 2011, seconda edizione.

Elisa Cardinali, Laura Gogioso, *La dieta vegetariana e vegana per chi fa sport*, Terra nuova, Firenze 2017.

Jean Durlach, *Il magnesio nella pratica clinica*, Ipsa, Palermo 1988.

Arnold Ehret, *La causa e la cura della malattia nell'uomo*, L'età dell'acquario, Torino 2015.

Arnold Ehret, *La dieta senza muco oggi*, L'età dell'acquario, Torino 2016.

Giulia Enders, *L'intestino felice*, Sonzogno, Milano 2015.

Fabio Firenzuoli, *Fitoterapia*, Elsevier Masson, Milano 2009.

Luca Fortuna, *Disintossicarsi da metalli pesanti, tossine e inquinanti*, Il punto d'incontro, Vicenza 2016.

Aida Goggins, Matten Glen, *Sirt. La dieta del gene magro*, Tre60, Milano 2016.

Bellur Krishnamukar Sundara Iyengar, *Teoria e pratica dello yoga*, Edizioni Mediterranee, Roma 2003.

Valter Longo, *La dieta della longevità*, Vallardi, Milano 2016.

Luciano Lozio, *I probiotici*, Giampiero Casagrande, Milano Lugano 2017.

Noboru B. Muramoto, *Il medico di se stesso*, Feltrinelli, Milano 2012.

Haylie Pomroy, Eve Adamson, *La dieta del supermetabolismo*, Sperling & Kupfer, Milano 2014.

Robert S. Porter, Justin L. Kaplan, Barbara P. Homeier (a cura di), *Il manuale Merk dei segni e dei sintomi*, Springer, Milano 2010.

Noris Siliprandi, *Biochimica medica strutturale, metabolica e funzionale*, Piccin, Padova 2018, quinta edizione a cura di Guido Tettamanti.

Philippe Souchard, *Il metodo dello stretching globale attivo (SGA)*, Calzetti & Mariucci, Ferrera di Torgiano 2018.

Alessandro Targhetta, *Intolleranze alimentari,* Il punto d'incontro, Vicenza 2013.

Alessandro Targhetta, *Sensibilità al glutine,* Il punto d'incontro, Vicenza 2016.

RINGRAZIAMENTI

Ringrazio tutte le persone che hanno contribuito alla mia crescita personale e professionale, spesso senza averne consapevolezza.
Ringrazio il mio raggio di luce per avermi dato l'ispirazione, mia madre per avermi dato la vita e insegnato a vivere, il dottor Luigi Marchione per avermi incoraggiato a dare il meglio di me, mio fratello Guido per avermi sempre sostenuto nei momenti difficili. Ringrazio mia moglie Elisa, per avermi donato i miei tre angeli Lorenzo, Leonardo e Luca. Ringrazio il dottor Joseph Cannillo per avermi instradato al mondo della spagyria e della fitoterapia, la dottoressa Costantina Mastropasqua per avermi insegnato attraverso la PNEI a gestire le mie emozioni, il dottor Alessandro Cialdella per le nostre chiacchierate di approfondimento nel mondo della postura, l'ingegner Francesco Antonangeli per le conversazioni che mi hanno arricchito più di un corso di laurea. Grazie a Luciano Sordini, maestro di boxe e di vita, e alla mia editor Marianna Aquino e a tutta la Longanesi, per aver creduto in me e avermi stimolato a mettere nero su bianco questo libro.
Infine ringrazio tutti voi che mi seguite quotidianamente su Facebook: grazie infinite per la fiducia che ogni giorno mi date.

INDICE

APPUNTI

Questo libro è stampato col sole

Azienda carbon-free

Finito di stampare
nel mese di maggio 2021
per conto della Longanesi & C.
da Grafica Veneta S.p.A.
di Trebaseleghe (PD)
Printed in Italy